Obras das autoras lançadas pela Galera Record:

Série Magisterium
O desafio de ferro
A luva de cobre
A chave de bronze
A máscara de prata
A torre de ouro

Holly Black
Série O Povo do Ar
O príncipe cruel
O rei perverso
A rainha do nada

O canto mais escuro da floresta
Como o Rei de Elfhame aprendeu a odiar histórias

Zumbis x Unicórnios

Cassandra Clare
Série Os Instrumentos Mortais
Cidade dos ossos
Cidade das cinzas
Cidade de vidro
Cidade dos anjos caídos
Cidade das almas perdidas
Cidade do fogo celestial

Série As Peças Infernais
Anjo mecânico
Príncipe mecânico
Princesa mecânica

Série Os Artifícios das Trevas
Dama da meia-noite
Senhor das sombras
Rainha do ar e da escuridão

Série As Últimas Horas
Corrente de ouro

Série As Maldições Ancestrais
Os pergaminhos vermelhos da magia
O livro branco perdido

O Códex dos caçadores de sombras
As Crônicas de Bane
Uma história de notáveis Caçadores de Sombras e Seres do Submundo:
Contos da Academia dos Caçadores de Sombras
Fantasmas do Mercado das Sombras

HOLLY BLACK   CASSANDRA CLARE

MAGISTERIUM

LIVRO 3

Tradução
Rita Sussekind

7ª edição

GALERA
—*junior*—
RIO DE JANEIRO
2024

CIP-BRASIL. CATALOGAÇÃO NA PUBLICAÇÃO
SINDICATO NACIONAL DOS EDITORES DE LIVROS, RJ

C541c
7. ed.
Clare, Cassandra, 1973-
A chave de bronze / Cassandra Clare, Holly Black ; tradução Rita Sussekind. – 7. ed. – Rio de Janeiro : Galera Record, 2024.
(Magisterium; 3)

Tradução de: The bronze key
Sequência de: A luva de cobre
Continua com: A máscara de prata
ISBN 978-65-5981-028-4

1. Ficção. 2. Literatura infantojuvenil americana.
I. Black, Holly, 1971-. II. Sussekind, Rita. III. Título. IV. Série.

21-71899
CDD: 808.899282
CDU: 82-93(73)

Meri Gleice Rodrigues de Souza - Bibliotecária - CRB-7/6439

Título original:
The Bronze Key

Copyright © 2016 by Holly Black and Cassandra Claire LLC

Publicado mediante acordo com as autoras e Baror International, INC., Armonk, New York, USA.

Todos os direitos reservados.
Proibida a reprodução, no todo ou em parte, através de quaisquer meios.
Os direitos morais do autor foram assegurados.

Editoração eletrônica: Abreu's System
Adaptação de capa: Renata Vidal

Texto revisado segundo o novo Acordo Ortográfico da Língua Portuguesa.

Direitos exclusivos de publicação em língua portuguesa somente para o Brasil adquiridos pela
EDITORA RECORD LTDA.
Rua Argentina 171 – Rio de Janeiro, RJ – 20921-380 – Tel.: 2585-2000, que se reserva a propriedade literária desta tradução.

Impresso no Brasil

ISBN 978-65-5981-028-4

Seja um leitor preferencial Record.
Cadastre-se e receba informações sobre nossos lançamentos e nossas promoções.

Atendimento e venda direta ao leitor:
sac@record.com.br

Para Jonah Lowell Churchill,
que pode ser o gêmeo do mal.

↑≈△○◉

CAPÍTULO UM

Call fez alguns ajustes finais no robô pouco antes de enviá-lo ao "anel" — um pedaço do chão da garagem demarcado com giz azul. Ele considerava aquela a zona de luta dos robôs que ele e Aaron construíram com muito esforço usando peças de carro, magia metálica e muita fita adesiva. Naquele chão ensopado de gasolina, um dos robôs seria tragicamente reduzido a pedacinhos, e o outro sairia vitorioso. Um se ergueria, enquanto o outro sucumbiria. Um...

O robô de Aaron avançou fazendo barulho. Um dos bracinhos disparou, oscilou e decapitou o robô de Call. Faíscas riscaram o ar.

— Não é justo! — gritou Call.

Aaron riu. Ele estava com uma mancha de sujeira na bochecha e parte do cabelo ficou arrepiada depois que passou as mãos na cabeça, frustrado. O calor implacável da Carolina do Norte o havia deixado com o nariz queimado de sol e as bochechas sardentas. Ele não se parecia em nada com o Makar elegante que havia passado o último verão em festas nos jardins, conversando com adultos chatos e importantes.

— Acho que construo robôs melhor do que você — disse Aaron em tom despreocupado.

— Ah, é? — retrucou Call, voltando se concentrar. Seu robô começou a se mover, lentamente no início, depois mais depressa à medida que a magia metálica reanimava seu corpo decapitado. — Toma *essa*.

O robô de Call levantou um braço e o fogo que lançou foi como água saindo de uma mangueira. A labareda atingiu o robô de Aaron, cujo corpo começou a esfumaçar. Aaron tentou invocar a magia da água para extingui-la, mas era tarde demais — o Silver Tape estava em chamas. Seu robô desabou em uma pilha de peças fumegantes.

— Yay! — gritou Call, que nunca seguiu os conselhos de seu pai sobre ser um vencedor humilde. Devastação, o lobo Dominado pelo Caos de Call, acordou de repente quando uma faísca caiu em seu pelo. Começou a latir.

— Ei! — gritou Alastair, o pai de Call, correndo para fora da casa e olhando em volta com olhos ligeiramente arregalados. — Nada de lutas tão perto do meu carro! Eu acabei de consertar esse troço!

Apesar da bronca, Call sentia-se relaxado. Ele tinha passado praticamente as férias inteiras assim, relaxado. Tinha até parado de se atribuir pontos na escala de Suserano do Mal. Até onde o mundo sabia, o Inimigo da Morte, Constantine Madden, estava morto, derrotado por Alastair. Só Aaron, Tamara, o falso amigo Jasper DeWinter e o pai de Call sabiam a verdade — que Call *era*

Constantine Madden renascido, mas sem suas lembranças, e, com sorte, sem sua inclinação para o mal.

Considerando que o mundo achava que Constantine estava morto e os amigos de Call não se importavam, Call estava seguro. Aaron, apesar de ser Makar, podia voltar a brincar com ele. Os dois voltariam ao Magisterium em breve, e desta vez seriam alunos do Ano de Bronze, o que significava que mexeriam com magias bem legais — feitiços de luta e feitiços de voo.

Tudo estava melhor. Tudo estava ótimo.

Além disso, o robô de Aaron estava destruído e soltando fumaça.

De verdade, era difícil para Call imaginar como as coisas poderiam ficar melhores.

— Espero que estejam lembrados — disse Alastair. — Hoje é a festa no Magisterium. Vocês sabem, a que vai nos homenagear.

Aaron e Call se olharam, horrorizados. Tinham se esquecido, é óbvio. Os últimos dias se passaram em um borrão de skate, sorvete, filmes e videogame, e ambos tinham apagado completamente o fato de que a Assembleia daria uma festa da vitória na escola, reconhecendo que o Inimigo da Morte tinha sido derrotado após treze longos anos de guerra fria.

A Assembleia tinha escolhido cinco pessoas para homenagear: Call, Aaron, Tamara, Jasper e Alastair. Call tinha ficado surpreso por Alastair ter concordado em ir — ele odiava mágica, o Magisterium, e tudo que tinha a ver com magos desde que Call se entendia por gente. Call desconfiava que Alastair tivesse concordado por querer ver a Assembleia aplaudindo Call e concordando em uníssono que ele era um garoto do bem. Que ele era um herói.

Call engoliu em seco, nervoso de repente.

Holly Black & Cassandra Clare

— Não tenho o que vestir — disse em tom de objeção.

— Nem eu. — Aaron parecia espantado.

— Mas a família da Tamara não comprou todas aquelas roupas chiques no ano passado? — perguntou Call.

Os pais de Tamara ficaram tão animados com a ideia de a filha ser amiga de um Makar — um dos raros magos capazes de controlar a magia do caos — que praticamente adotaram Aaron, levando-o para casa e gastando dinheiro com cortes de cabelo caros, roupas e festas.

Call ainda não conseguia entender por que Aaron tinha resolvido passar as férias com ele, e não com os Rajavi, mas Aaron foi muito firme em relação a isso.

— Nada mais está cabendo — Aaron respondeu. — Só tenho calças jeans e camisetas.

— Então iremos ao shopping — disse Alastair, mostrando as chaves do carro. — Vamos, meninos.

— Os pais da Tamara me levaram na Brooks Brothers — disse Aaron enquanto caminhavam para a coleção de carros reformados de Alastair. — Foi meio estranho.

Call pensou no pequeno shopping local e sorriu.

— Bem, se prepare para outro tipo de coisa estranha — falou. — Vamos voltar no tempo, só que sem magia.

↑≈△○◎

— Acho que eu talvez seja alérgico a esse tecido — disse Aaron, em frente a um espelho nos fundos da JL Dimes. Vendiam tudo na loja: tratores, roupas, lava-louças baratos. Alastair sempre comprava seus macacões de trabalho aqui. Call detestava.

— Ficou bom — disse Alastair, que tinha pegado um aspirador de pó em algum momento enquanto passeavam pela loja, e o estava examinando, provavelmente interessado nas peças. Ele também tinha escolhido um paletó para si, mas ainda não tinha experimentado.

Aaron deu mais uma olhada no terno cinza de tecido preocupantemente lustroso. A calça estava larga na altura dos calcanhares, e as lapelas lembravam barbatanas de tubarões.

— Muito bem — disse Aaron com suavidade, sempre muito consciente de que tudo comprado para ele era um favor. Ele sabia que não tinha dinheiro e nem pais para tal, portanto era sempre grato.

Tanto Aaron quanto Call perderam suas mães. O pai de Aaron estava vivo, mas preso, coisa que Aaron não gostava que as pessoas soubessem. Call não achava que isso fosse algo muito sério, provavelmente porque o segredo que ele mesmo guardava era muito maior.

— Não sei, pai — disse Call, semicerrando os olhos para o espelho. O paletó que vestia era de poliéster azul-escuro e estava justo demais embaixo dos braços. — Acho que os tamanhos não estão certos.

Alastair suspirou.

— Um terno é um terno. Aaron vai crescer e caber no dele. E o seu, bem... Talvez devesse experimentar outra coisa. Não adianta comprar uma coisa que só vai servir para uma única noite.

— Vou tirar uma foto — Call disse, pegando o celular. — Tamara pode ajudar a escolher. Ela sabe como se vestir para eventos chiques de magos.

O celular emitiu um som de vento quando Call enviou a foto para Tamara. Alguns segundos depois ela respondeu: *Aaron parece um vigarista que passou por um raio encolhedor, e você parece aluno de Collegium católico.*

Aaron olhou para as ombreiras no paletó de Call e fez uma careta para a mensagem.

— Então? — perguntou Alastair. — Podemos colocar fita adesiva na barra da calça. Para ficar do tamanho certo.

— Ou — disse Call — podemos ir a outra loja e não passar vergonha na frente da Assembleia.

Alastair olhou de Call para Aaron e, depois de um suspiro, cedeu e deixou o aspirador de pó de lado.

— Ok. Vamos.

Foi um alívio sair daquele shopping superaquecido e abafado. Após um rápido trajeto de carro, Call e Aaron estavam diante de um brechó que vendia todo tipo de peças *vintage*, desde capachos a cômodas e máquinas de costura. Call tinha estado ali antes com o pai e se lembrava de que a dona, Miranda Keyes, adorava roupas antigas. Estava sempre vestindo alguma peça do tipo, sem dar muita importância à combinação de cores e estilos, o que significava que frequentemente era vista andando por aí com uma saia poodle, botas compridas e brilhantes e uma blusa curta de lantejoulas com uma estampa de gatos mal-humorados.

Mas Aaron não sabia disso. Ele estava olhando ao redor da loja, sorrindo com hesitação, e isso fez o coração de Call afundar. Seria ainda pior que na JL Dimes. O que começou como uma coisa engraçada agora estava começando a deixar Call nauseado. Ele sabia que seu pai era "excêntrico" — o que é uma forma gentil de dizer "esquisito" — e nunca se incomodou com isso, mas não era justo que Aaron tivesse que parecer "excêntrico" também. E se Miranda só tivesse smokings de veludo vermelho ou coisa pior?

Já era ruim o bastante que Aaron tivesse que passar o verão tomando limonada em pó em vez de feita com limões frescos, como na casa de Tamara; dormindo em um catre militar que Alastair tinha montado no quarto de Call; correndo por um jardim onde a irrigação do gramado era feita por uma mangueira com furinhos em vez de *sprinkler*; e comendo cereal comum no café da manhã, em vez de ovos preparados a seu gosto por um chef. Se Aaron chegasse na festa parecendo um bobo, talvez fosse a gota d'água. Call talvez perdesse a Guerra de Melhor Amigo de vez.

Alastair saiu do carro. Call seguiu o pai e Aaron para dentro, com um mau pressentimento.

Os ternos ficavam no fundo da loja, atrás das mesas com instrumentos musicais de bronze esquisitos e uma tigela feita em jade cheia de chaves enferrujadas. Era bem parecida com a loja do próprio Alastair, Agora e Sempre. A única diferença era o teto, que ali era cheio de casacos de pele e cachecóis de seda enquanto a loja de Alastair era especializada em antiguidades mais industriais. Miranda veio dos fundos e conversou com Alastair por alguns minutos sobre o que tinha trazido de Brimfield — uma enorme feira de antiguidades no norte — e quem tinha encontrado lá. O pavor de Call aumentou.

Finalmente, Alastair conseguiu dizer a ela o que precisavam. Ela analisou cada um dos meninos com um olhar firme, como se estivesse observando através deles e enxergando outra coisa. Fez o mesmo com Alastair até que, estreitando os olhos, voltou a desaparecer nos fundos da loja.

Aaron e Call se distraíram vagando pelo local, procurando pelo objeto mais estranho. Aaron tinha achado um despertador em formato de Batman que dizia "ACORDE, GAROTO PRODÍ-

GIO" ao ser pressionado no topo, e Call tinha desenterrado um casaco feito de pirulitos presos e colados um no outro quando Miranda ressurgiu, cantarolando, com uma pilha de roupas que empilhou no balcão.

A primeira coisa que puxou foi um paletó para Alastair. Parecia feito de cetim com uma estampa sutil em verde-escuro e forro de seda brilhante. Era definitivamente velho e estranho, mas de um jeito não constrangedor.

— Agora — disse ela apontando para Call e Aaron — é a vez de vocês.

Entregou a cada um deles um terno de linho dobrado. O de Aaron era creme e o de Call, cinza.

— Da cor dos seus olhos, Call — disse Miranda, satisfeita consigo mesma, enquanto Call e Aaron vestiam os ternos por cima das bermudas e camisetas. Ela bateu as mãos e gesticulou para que se olhassem no espelho.

Call encarou o próprio reflexo. Ele não entendia muito de moda, mas o terno cabia e ele não estava bizarro. Na verdade parecia até um pouco adulto. Aaron também. As cores claras deixavam ambos parecendo bronzeados.

— São para alguma ocasião especial? — perguntou Miranda.

— Pode-se dizer que sim — disse Alastair, parecendo satisfeito. — Os dois vão receber prêmios.

— Por, hum, serviços comunitários — disse Aaron, encontrando os olhos de Call pelo espelho. Call supôs que fosse parcialmente mentira, apesar de a maioria dos serviços comunitários não envolver cabeças decapitadas.

— Fantástico! — disse Miranda. — Os dois estão muito bonitos.

Bonitos. Call nunca pensou isso a respeito de si. *Aaron* era o bonito. Call era o baixinho, manco e com feições muito marcantes e intensas. Mas ele supunha que vendedoras tinham que dizer ao cliente que ele estava bonito. Por capricho, Call pegou o celular, tirou foto dos reflexos dele e de Aaron e mandou para Tamara.

Um minuto depois veio a resposta. *Legal.* Em anexo veio um videozinho de alguém caindo da cadeira, surpreso. Call não conseguiu segurar o riso.

— Eles precisam de mais alguma coisa? — perguntou Alastair. — Sapatos, abotoaduras... qualquer coisa?

— Bem, camisas, obviamente — disse Miranda. — Tenho belas gravatas...

— Não preciso que compre mais nada para mim, senhor Hunt — disse Aaron, parecendo ansioso. — De verdade.

— Ah, não se preocupe com isso — respondeu Alastair com um tom de voz surpreendentemente leve. — Eu e Miranda estamos no mesmo ramo. Chegaremos a um acordo.

Call olhou para Miranda, e a viu sorrindo.

— Fiquei de olho em um broche vitoriano que vi na sua loja.

Ao ouvir isso, Alastair enrijeceu um pouco a expressão em seu rosto, mas quase imediatamente depois relaxou e riu.

— Bem, se for pelo broche, definitivamente vamos levar as abotoaduras. E sapatos também, se você tiver.

Quando saíram, estavam com sacolas enormes cheias de roupas, e Call estava se sentindo muito bem. Eles voltaram para casa com o horário apertado para tomar banho e pentear o cabelo. Alastair saiu do quarto fedendo a algum perfume velho, e parecendo mal-humorado com seu novo paletó e uma calça que provavelmente encontrou no fundo do armário. Murmurando, começou imediatamente a procurar as chaves do carro. Call mal conseguia reconhecê-lo como o mesmo pai que trabalhava em casa vestindo camisa de lã e macacão jeans, o pai que tinha passado as férias ajudando os dois a fazer robôs com peças sobressalentes.

Ele parecia um estranho e isso fez com que Call começasse a pensar no que estava prestes a acontecer.

Call tinha passado as férias inteiras sentindo-se muito convencido pelo falecimento do Inimigo da Morte. Morto havia anos, conservado em um túmulo esquisito a ponto de dar medo, Constantine Madden esperava para ter sua alma devolvida ao corpo. Mas, como ninguém sabia disso, todo o mundo dos magos esperava que Constantine reiniciasse a Terceira Guerra dos Magos. Quando Callum levou a cabeça decapitada do Inimigo para o Magisterium, prova de que ele estava incontestavelmente morto, todo o mundo dos magos suspirou de alívio.

O que eles não sabiam era que a alma de Constantine ainda vivia — em Call. Esta noite o mundo dos magos homenagearia o Inimigo da Morte em pessoa.

Apesar de Call não ter qualquer desejo de machucar ninguém, a ameaça de uma Terceira Guerra dos Magos estava longe do fim. O substituto imediato de Constantine, Mestre Joseph, tinha o controle do exército Dominado pelo Caos do falecido. E detinha também o poderoso Alkahest, capaz de destruir dominadores do caos, como Aaron — e Call. Se Mestre Joseph se cansasse de esperar que Call debandasse para o seu lado, talvez atacasse por conta própria.

Call se apoiou na mesa da cozinha. Devastação, que estava dormindo embaixo dela, ergueu a cabeça com olhos perturbadoramente reluzentes, como se pudesse sentir a inquietação de Call.

Isso deveria ter feito com que se sentisse melhor, mas na verdade o deixou até um pouco pior.

Ele quase conseguia ouvir a voz de Mestre Joseph: *muito bem, você fez todo o mundo dos magos baixar a guarda, Call. Não consegue fugir da sua própria natureza.*

Ele afastou o pensamento com determinação. Tinha se empenhado durante as férias para não prestar atenção em si mesmo em busca de sinais de que talvez estivesse ficando malvado. Passou todo aquele período dizendo a si mesmo que era Callum Hunt, filho de Alastair Hunt, e que não cometeria os mesmos erros de Constantine Madden. Ele era uma pessoa diferente. Era *mesmo*.

Alguns minutos depois, Aaron saiu do quarto de Call, elegante em seu terno creme. O cabelo louro estava penteado para trás e até as abotoaduras brilhavam. Parecia tão feliz como quando vestia os ternos de grife presenteados pela família de Tamara.

Ou pelo menos parecia feliz até ver Call e hesitar.

— Tudo bem? — perguntou Aaron. — Você parece um pouco enjoado. Você não é do tipo que tem pânico de subir no palco, né?

— Talvez — disse Call. — Não estou acostumado a pessoas me olhando muito. Quer dizer, as pessoas me olham por causa das minhas pernas às vezes, mas não é uma olhada *boa*.

— Tente pensar nisso como a cena final de *Star Wars* quando todo mundo está comemorando e a Princesa Leia coloca medalhas no Han e no Luke.

Call ergueu uma das sobrancelhas.

— Quem é a Princesa Leia nesse cenário? O Mestre Rufus?

Mestre Rufus era o professor do grupo de aprendizes no Magisterium. Era um sujeito rígido e sábio, todo enrugado, e tinha bem mais cabelo grisalho do que a Princesa Leia.

— Depois da cerimônia — disse Aaron —, ele vai vestir o biquíni dourado.

Devastação latiu. Alastair ergueu as chaves do carro, triunfante.

— Ajudaria se eu prometesse a vocês que a noite vai ser chata e tediosa? Em teoria, essa festa é para nos homenagear, mas garanto que, em essência, é para a Assembleia parabenizar a ela mesma.

— Parece que você já foi a alguma dessas antes — disse Call, desencostando-se da mesa. Parecendo ansioso, passou a mão pelo paletó para alisá-lo; linho é um tecido que enruga rápido. Mal podia esperar para voltar a usar jeans e camiseta.

— Você viu a pulseira que Constantine usava quando estudávamos juntos no Magisterium — disse Alastair. — Ele ganhou muitos prêmios e distinções. Todo o nosso grupo de aprendizes ganhou.

Call tinha visto a pulseira, era verdade. Alastair a enviara ao Mestre Rufus no ano em que Call estava no Magisterium. Todos os alunos recebiam pulseiras de couro e metal: o metal mudava sempre que o aluno iniciava um novo ano escolar, e a pulseira também era ornada com pedras, cada qual representando uma conquista ou um talento. A de Constantine tinha uma quantidade de pedras que Call jamais havia visto.

Call esticou-se para tocar sua própria. Ainda mostrava o metal de um aluno Cobre do segundo ano. Assim como a de Aaron, a dele brilhava com a pedra preta do Makar. Os olhos de Call encontraram os de Aaron quando ele abaixou a mão, e deu para perceber que o amigo sabia o que ele estava pensando — aqui estava ele, Call, recebendo um prêmio, sendo homenageado por fazer o bem, e ainda assim isso o fazia igual a Constantine Madden.

Alastair balançou as chaves do carro, despertando Call do devaneio.

— Vamos — disse Alastair. — A Assembleia não gosta quando os homenageados se atrasam.

Devastação os acompanhou até a porta, depois sentou ruidosamente e soltou um ganido fino.

— Ele pode ir? — perguntou Call ao passarem pela porta. — Ele vai se comportar. E ele também merece um prêmio.

— De jeito nenhum — disse Alastair.

— É porque você não confia nele perto da Assembleia? — perguntou Call, embora não tivesse certeza de querer ouvir a resposta.

— É porque não confio na Assembleia perto dele — respondeu Alastair com um olhar firme. Depois saiu, deixando Call sem escolha além de segui-lo.

CAPÍTULO DOIS

O Collegium, como o Magisterium, era construído de forma a ser escondido de quem não era mago. Ficava sob o litoral da Virgínia, os corredores descendo em espiral sob a água. Call já tinha ouvido falar a respeito da localização, mas mesmo assim não estava preparado para Alastair pará-lo enquanto caminhavam sobre um píer e apontar para uma grade no chão, parcialmente escondida sob folhas e sujeira.

— Se colocarem a orelha perto dela, quase sempre dá para ouvir uma palestra incrivelmente chata. Mas hoje talvez escutem música. — Apesar de não ser um discurso particularmente elogioso ao Collegium, Alastair falou aquilo com certo saudosismo.

— Mas você nunca frequentou esse lugar, certo? — perguntou Call.

— Não como aluno — respondeu ele. — Houve toda uma geração de nós que basicamente não o fez. Estávamos ocupados demais morrendo na guerra.

Às vezes Call pensava, impiedosamente, que todos deveriam ter deixado Constantine Madden quieto. Ele tinha feito experimentos terríveis, é óbvio, inserindo o caos nas almas de animais e criando os Dominados pelo Caos. Ele tinha reanimado os mortos, é óbvio, procurando uma maneira de reverter a morte e trazer seu irmão de volta. Ele estava transgredindo a lei dos magos, é óbvio. Mas talvez se todos o tivessem deixado em paz, muitos ainda estivessem vivos. A mãe de Call ainda estaria viva.

O verdadeiro Call também estaria, Call não pôde deixar de pensar.

Mas como não podia falar nada a respeito disso, então não disse nada a respeito de nada. Aaron estava olhando as ondas ao sol poente. Ter Aaron em casa durante as férias de verão foi como ter um irmão, uma pessoa com quem fazer piadas, alguém que estava sempre ali para assistir um filme ou destruir robôs. Mas à medida que vieram percorrendo o caminho até o Collegium, Aaron foi ficando mais quieto. Quando Alastair parou seu Rolls-Royce Phantom 1937 prateado perto da calçada e eles passaram por uma estátua grande e estranha de Poseidon, Aaron já tinha parado de falar completamente.

— Tudo bem com você? — perguntou Call enquanto caminhavam.

Aaron deu de ombros.

— Não sei. É só que eu estava preparado para ser o Makar. Eu sabia que era perigoso e fiquei assustado, é lógico, mas entendia o que tinha que fazer. E quando as pessoas me davam coisas, eu entendia o motivo. Entendia o que eu devia a elas em troca. Mas agora não sei o que significa ser um Makar. Quer dizer, se não há mais guerra contra o Inimigo, isso é ótimo, mas sendo assim, o que eu...

— Chegamos — disse Alastair, parando. Ondas quebravam nas pedras pretas, lançando esguichos de água salgada e formando pequenas piscinas com espuma. Call sentiu as gotículas como uma lufada fria em seu rosto.

Ele queria dizer alguma coisa para tranquilizar Aaron, mas o amigo não estava mais olhando em sua direção. Estava franzindo o rosto para um caranguejo apressado. O bicho atravessou uma trança de algas, enrolada em um pedaço de corda velha, as pontas esfarrapadas flutuando na água como o cabelo solto de alguém.

— É seguro? — Foi o que Call perguntou no fim das contas.

— Tão seguro quanto qualquer coisa relacionada a magos — disse Alastair, batendo com o pé no chão em um ritmo rápido e repetitivo. Por um instante nada aconteceu; em seguida veio um som arranhado, e um bloco quadrado de pedra deslizou lateralmente, revelando uma longa escadaria em caracol. Ela espiralava cada vez mais para baixo, como a da biblioteca do Magisterium, a única diferença é que aqui não havia fileiras de livros, apenas degraus e, ao fundo, dava para ver um pedaço quadrado do chão de mármore.

Call engoliu em seco. Qualquer um acharia a caminhada longa, mas para ele, parecia impossível. A perna estaria cheia de cãibras antes da metade do caminho. Se ele tropeçasse, seria uma queda assustadora.

— Hum — disse Call. — Acho que não consigo...

— Pode levitar — disse Aaron quietamente.

— Quê?

— Levitação é magia do ar. Estamos cercados por pedras; terra e pedra. É só empurrar e você vai se erguer. Não precisa voar, só flutuar alguns centímetros acima do chão.

Call olhou para Alastair. Ele ainda era cauteloso em relação a fazer mágica perto do pai, depois de passar tantos anos ouvindo Alastair falar que magia era uma coisa maléfica, que magos eram malvados e que queriam matá-lo. Mas Alastair, olhando para a longa escada, apenas fez que sim com a cabeça brevemente.

— Eu vou na frente — disse Aaron. — Se você cair, eu seguro.

— Ao menos vamos cair juntos. — Call começou a descer, colocando um pé cuidadosamente na frente do outro. Conseguia ouvir o barulho de vozes e de talheres tilintando num ponto bem distante abaixo. Então respirou fundo e se esforçou para tocar a força da terra: alcançá-la e atraí-la para si, depois afastá-la, como se estivesse dentro da água, se distanciando da borda de uma piscina.

Ele sentiu a puxada nos músculos e depois uma leveza quando seu corpo se elevou para o ar. Como Aaron havia instruído, ele não tentou subir mais do que alguns centímetros. Com espaço suficiente apenas para se distanciar dos degraus, Call flutuou para baixo. Apesar de querer dizer a Aaron que não ia cair, era bom saber que se isso acontecesse, alguém estaria preparado para segurá-lo.

Os passos firmes de Alastair também o tranquilizavam. Foram descendo com cuidado, Alastair e Aaron andando e Call flutuando pouco acima dos degraus. A alguns metros do fim da descida, Call foi diminuindo suavemente a altura da flutuação. Então tocou o degrau e tropeçou. Foi Alastair que se esticou para pegá-lo pelo ombro.

— Segura aí — disse ele.

— Estou bem — disse Call com mau humor, e desceu mancando rapidamente os últimos degraus. Seus músculos doíam um pouco, mas nada como a dor que estaria sentindo se tivesse descido a pé. Aaron, que já tinha chegado ao chão, lançou um sorriso largo para ele.

23

— Olha só — disse ele. — O Collegium.

— Uau! — Call nunca tinha visto nada parecido. Os ambientes do Magisterium costumavam ser magníficos, e alguns eram mesmo enormes, mas eram sempre cavernas subterrâneas talhadas em pedra natural. Aquilo ali era diferente.

Um grande salão se abria diante deles. As paredes, o chão e as colunas que sustentavam o teto eram todos de mármore branco com pontinhos dourados. Uma tapeçaria com o mapa do Collegium decorava uma das paredes. Um extenso palanque percorria uma das laterais do recinto e havia bandeirinhas multicoloridas por toda a parede atrás dele. Exibiam citações de Paracelso e de outros alquimistas famosos, impressas em letras douradas. *Tudo é relacionado*, dizia uma. *Fogo e terra, ar e água. É tudo uma coisa só, não são quatro, nem duas, nem três, mas uma. Onde não estão juntas, nada mais são do que pedaços incompletos.*

Um enorme lustre pendia do teto. Cristais espessos balançavam como lágrimas, lançando luzes em todas as direções sobre a multidão de pessoas — membros da Assembleia com túnicas douradas, Mestres do Magisterium vestidos de preto e todos os demais em seus ternos e vestidos elegantes.

— Chique — disse Alastair, num tom sombrio. — Chique até demais.

— É — disse Call. — O Magisterium é uma pocilga. Eu não fazia ideia.

— Não tem nenhuma janela — disse Aaron, olhando ao redor. — Por que não há janelas?

— Provavelmente porque estamos embaixo da água — respondeu Call. — A pressão quebraria o vidro, não?

Antes que pudessem continuar com as especulações, o Mestre North, diretor do Magisterium, saiu do meio da multidão e veio até eles.

— Alastair. Aaron. Call. Estão atrasados.

— Trânsito submarino — disse Call.

Aaron o cutucou com o cotovelo.

O Mestre North o olhou com dureza.

— Enfim, ao menos estão aqui. Os outros estão esperando com a Assembleia.

— Mestre North — disse Alastair, com um cumprimento curto de cabeça. — Peço desculpas pelo nosso atraso, mas somos os homenageados. Não poderiam começar sem a gente, certo?

O Mestre North sorriu um sorriso discreto. Tanto ele quanto Alastair davam a impressão de que logo ficariam exaustos em virtude do esforço de agir civilizadamente.

Aaron e Call trocaram um olhar antes de seguirem os adultos pelo recinto. À medida que a aglomeração foi ficando mais densa, as pessoas começaram a pressionar o grupo, encarando Aaron e Call. Um senhor barrigudo de meia-idade pegou Call pelo braço.

— Obrigado — sussurrou o homem antes de soltá-lo. — Obrigado por matar Constantine.

Não matei. Call avançou com dificuldade enquanto mãos se esticavam em sua direção. Ele apertou algumas, evitou tantas, fez um *high-five* e então se sentiu meio bobo.

— É assim que é a sua vida o tempo todo? — perguntou para Aaron.

— Até as férias passadas não — respondeu Aaron. — Mas achei que você quisesse ser herói.

Suponho que seja melhor do que ser vilão, Call pensou, mas deixou as palavras morrerem antes de saírem da boca.

Finalmente chegaram ao local onde a Assembleia os aguardava, separada do restante da sala por cordas prateadas flutuantes. Anastasia Tarquin, uma das integrantes mais poderosas da Assembleia, conversava com a mãe de Tamara. Tarquin era extremamente alta, mais velha e tinha um denso cabelo prateado e brilhoso penteado para cima, e a mãe de Tamara tinha que esticar o pescoço para falar com ela.

Tamara estava com Celia e Jasper, os três rindo de alguma coisa. Era a primeira vez que Call via Tamara desde o começo das férias. Ela estava com um vestido amarelo luminoso que fazia sua pele marrom brilhar. O cabelo caía em ondas pesadas e escuras ao redor do rosto e pelas costas. Celia tinha feito alguma coisa esquisita, elegante e complicada no cabelo louro. Vestia uma peça em tecido verde e leve feito espuma do mar e que parecia flutuar ao seu redor.

As duas viraram na direção de Call e Aaron. O rosto de Tamara se iluminou e Celia sorriu. Call se sentiu um pouco como se alguém o tivesse chutado no peito. Estranhamente, não foi uma sensação desagradável.

Tamara correu para Aaron e deu um rápido abraço nele. Celia ficou para trás como se tivesse sido atingida por um timidez súbita. Foi Jasper quem veio até Call e deu um cutucão em seu ombro, o que foi um alívio, considerando que nada no garoto fazia Call ter a sensação de que seu mundo estivesse inclinando para o lado. Jasper parecia convencido como sempre, o cabelo escuro arrepiado com gel.

— Então, como vai o sinistrão em pessoa? — Jasper sussurrou, fazendo Call se encolher. — Você é a estrela do espetáculo.

Call detestava o fato de que Jasper soubesse a verdade sobre ele. Mesmo que tivesse quase certeza de que Jasper jamais revelaria o segredo, isso não impedia que ele fizesse comentários e o provocasse em todas as oportunidades.

— Vamos — disse o Mestre Rufus. — O tempo está passando. Temos uma cerimônia a qual comparecer, querendo ou não.

Com isso, Call, Aaron, Tamara, Jasper, Mestre Rufus, Mestra Milagros e Alastair foram conduzidos ao palanque. Celia deu tchauzinho para o grupo.

Call sabia que estavam encrencados quando viu cadeiras no palanque. Cadeiras significavam cerimônia longa. Ele estava certo. A cerimônia passou em um borrão, mas foi um borrão longo e tedioso. Vários membros da Assembleia fizeram discursos sobre o quão fundamentais eles tinham sido na missão.

— Eles não teriam conseguido sem mim — disse uma integrante loura da Assembleia, que Call nunca tinha visto antes. Mestre Rufus e Mestra Milagros foram celebrados por terem aprendizes tão magníficos. Os Rajavi foram celebrados por terem criado uma filha tão corajosa. Alastair foi celebrado por sua diligência ao liderar a expedição. Call e Aaron receberam créditos por serem os maiores heróis de sua geração.

Foram aplaudidos e beijados nas bochechas e afagados nas costas. Alastair recebeu uma medalha pesada que agora balançava em seu pescoço. Tinha começado a parecer um pouco incomodado quando se levantaram para a sexta rodada de aplausos.

Ninguém mencionou cabeças decapitadas nem todo o mal entendido em que acharam que Alastair estava trabalhando para o Inimigo, nem como ninguém no Magisterium sequer sabia que os meninos fariam parte da missão. Todos agiram como se tudo tivesse sido planejado.

Todos receberam as pulseiras do Ano de Bronze e pedras de berilo vermelhas como demonstração do valor de seu feito. Call ficou imaginando o que exatamente a pedra vermelha significava — todas as cores tinham um significado: amarelo para cura, laranja para coragem e por aí vai.

Call deu um passo a frente para que o Mestre Rufus colocasse a pedra em sua pulseira. O berilo vermelho se encaixou com um clique, como uma fechadura sendo trancada. *Callum Hunt, Makar!*, alguém no recinto gritou. Mais alguém se levantou e gritou o nome de Aaron. Call deixou que os gritos o lavassem como uma maré descontrolada. *Call e Aaron! Makaris, Makaris, Makaris!*

Call sentiu uma mão esfregar seu ombro. Era Anastasia Tarquin.

— Na Europa — disse ela —, quando descobrem que alguém é mago do caos, eles não o celebram. Eles o matam.

Chocado, Call virou para encará-la, mas Anastasia já se afastava em meio à multidão de membros da Assembleia. Mestre Rufus, que evidentemente não tinha escutado aquilo — ninguém além de Call tinha — avançou em direção a Aaron e Call.

— Makaris — disse ele. — Isso não é apenas uma celebração. Temos algo a discutir.

— Aqui? — perguntou Aaron, nitidamente espantado.

Rufus balançou a cabeça.

— É hora de vocês verem algo que pouquíssimos aprendizes podem ver. A Sala de Guerra. Venham comigo.

Tamara ficou olhando para Aaron e Call com preocupação enquanto eram conduzidos em meio aos presentes.

— A Sala de Guerra? — murmurou Aaron. — Que sala é essa?

— Não sei — Call sussurrou de volta. — Achei que a guerra tivesse acabado.

Familiarizado com o lugar, Mestre Rufus os conduziu para trás das cordas flutuantes, evitando os olhares da multidão. Chegaram a uma porta na parede oposta. Era feita de bronze, navios de mastro alto navegando, canhões e explosões no mar esculpidos no metal.

Rufus abriu a porta e os três entraram na Sala de Guerra. Call ouviu sua própria voz perguntando por que não havia janelas no salão. Resposta: porque havia muitas janelas na Sala de Guerra. O chão era de mármore, mas todas as outras superfícies eram de um vidro que brilhava sob uma luz enfeitiçada. Além dele, Call viu criaturas marinhas nadando: peixes com listras de cores brilhantes, tubarões com olhos pretos como carvão e arraias nadando graciosamente.

— Uau — disse Aaron, esticando o pescoço. — Olha para cima.

Call viu a água acima deles, brilhando com a luz da superfície. Um cardume prateado passou com pressa e depois, seguindo algum sinal invisível, todos os peixes viraram aceleraram em outra direção.

— Sentem-se — disse Graves, o velho, rabugento e malvado membro da Assembleia. — Sabemos que estamos em uma comemoração, mas temos assuntos a tratar. Mestre Rufus, você e seus dois aprendizes podem se acomodar aqui. — Ele indicou as cadeiras ao seu lado.

Call e Aaron trocaram um olhar relutante antes de irem para as próprias cadeiras. O resto dos membros da Assembleia estava se organizando ao redor da mesa, conversando sobre amenidades. Acima deles, visível através do vidro, uma enguia passou nadando e agarrou um peixe lento. Call ficou imaginando se seria um mau presságio.

Uma vez que o recinto ficou em silêncio, Graves voltou a falar:

— Graças aos esforços de nossos homenageados da noite, trataremos de um assunto muito diferente do que poderíamos ter imaginado. Constantine Madden está morto. — Ele olhou em volta como se estivesse esperando a informação ser assimilada. Call não conseguia deixar de pensar que, se a ficha ainda não tinha caído, não cairia nunca, considerando a quantidade de vezes que a frase "O Inimigo da Morte está morto!" tinha sido repetida durante a cerimônia. — Mesmo assim — Graves bateu com a mão na mesa, fazendo Call pular de susto — *não podemos* descansar! Constantine Madden pode ter sido derrotado, mas seu exército continua a solta. Temos que atacar agora e acabar com os Dominados pelo Caos e com todos os aliados de Constantine.

Um murmúrio percorreu o recinto.

— Ninguém conseguiu detectar qualquer sinal dos Dominados pelo Caos desde a morte de Madden.

Vários magos pareceram esperançosos com esta informação, mas Graves apenas balançou a cabeça, sombrio.

— Eles estão por aí em algum lugar. Temos que reunir equipes para caçá-los e destruí-los.

Call se sentiu um pouco enjoado. Os Dominados pelo Caos eram basicamente zumbis sem consciência, seres cuja humanidade tinha sido completamente afastada para dar lugar ao caos. Mas ele já tinha ouvido as criaturas falando. Já tinha visto elas em movimento, e até mesmo ajoelhadas diante dele. A ideia de uma pira com seus corpos em chamas fazia seu estômago embrulhar.

— E animais Dominados pelo Caos? — perguntou Anastasia Tarquin. — A maioria deles nunca serviu ao Inimigo da Morte. São apenas descendentes das infelizes criaturas que o fizeram. Ao contrário dos humanos transformados em Dominados pelo Caos, eles são seres vivos, e não corpos reanimados.

— São perigosos mesmo assim. Eu voto que exterminemos todos — disse Graves.

— Devastação não! — berrou Call antes que pudessem contê-lo.

Os membros da Assembleia viraram em sua direção. Anastasia tinha um leve sorriso no rosto, como se tivesse gostado da explosão. Ela parecia alguém que não se importava quando as coisas não saíam do jeito esperado por todos. Seu olhar desviou para Aaron, procurando pela reação dele.

— O animal de estimação dos Makaris — disse ela, olhando para Call. — Certamente Devastação pode ser poupado.

— E a Ordem da Desordem vem estudando feras Dominadas pelo Caos. Mantendo algumas em cativeiro para legitimar a pesquisa que estão fazendo — acrescentou Rufus.

A Ordem da Desordem era um pequeno grupo de magos rebeldes que viviam na floresta ao redor do Magisterium, estudando magia do caos. Call não sabia ao certo o que pensava sobre eles. Tinham tentado forçar Aaron a ficar por lá para ajudá-los em seus experimentos com o caos. Também não tinham sido gentis em relação a isso.

— Sim, sim — disse Graves, dispensando aquela informação. — Talvez alguns possam ser preservados, apesar de eu nunca ter gostado muito da Ordem da Desordem, como bem sabem. Precisamos ficar de olho nessa gente, para ter certeza de que nenhum dos conspiradores de Constantine esteja se escondendo entre eles. E precisamos encontrar Mestre Joseph. Não podemos esquecer de que ele ainda é perigoso e certamente tentará usar o Alkahest contra nós.

Anastasia Tarquin fez uma breve anotação. Muitos outros magos cochicharam entre si; alguns estavam sentados com a coluna muito reta, tentando parecer importantes. Mestre Rufus assentia, mas Call desconfiava de que ele também não gostava muito de Graves.

— Por fim, temos que nos certificar de que Callum Hunt e Aaron Stewart utilizem suas habilidades de Makar a serviço da Assembleia e da comunidade de magos como um todo. Mestre Rufus, é fundamental que você nos forneça relatos regulares a respeito dos estudos destes jovens, à medida que forem avançando nos anos de Bronze, Prata e Ouro, preparando-se para o Collegium.

— Eles são *meus* aprendizes. — Mestre Rufus ergueu uma sobrancelha. — Preciso ter autonomia para ensiná-los da forma que achar melhor.

— Podemos discutir isso mais tarde — disse Graves. — Antes de serem alunos do Magisterium, eles são Makaris. Seria bom que tanto você quanto eles se lembrassem disso.

Aaron lançou um olhar preocupado a Call. Mestre Rufus parecia ameaçador.

Graves continuou.

— Em virtude da proximidade do Magisterium com a maioria dos animais Dominados pelo Caos, vamos esperar que a escola tome iniciativa em relação à ideia de destruí-los ou não.

— Não é possível que você espere que os alunos do Magisterium passem o tempo de aula assassinando animais — protestou

Mestre Rufus, levantando. — Sou fortemente contrário a essa sugestão. Mestre North?

— Concordo com Rufus — disse Mestre North após uma pausa.

— Não são animais. São monstros — argumentou Graves. — A floresta nos arredores do Magisterium é habitada há anos por vários deles e até o momento não tratamos a situação com a seriedade devida, já que o Inimigo sempre poderia ter feito coisas piores. Mas agora... agora temos uma chance de exterminá-los.

— Eles podem ser monstros — disse Rufus —, mas se parecem com animais. E há aqueles, como Devastação, que nos fazem parar e pensar se não poderiam ser salvos em vez de destruídos. Certamente todo o mundo dos magos tem interesse em que nossos alunos aprendam a ser misericordiosos. Constantine Madden — acrescentou ele, com a voz baixa — nunca foi.

Graves lançou a ele um olhar cheio de algo que se parecia muito com ódio.

— Tudo bem — disse ele com a voz entrecortada. — A remoção dos animais Dominados pelo Caos será feita por uma equipe liderada por mim e por outros integrantes da Assembleia. Por favor, não espere que eu receba qualquer reclamação sobre como estamos ocupando a floresta onde seus alunos treinam. Isso é mais importante que a sua escola.

— É evidente — disse o Mestre Rufus, ainda com a mesma voz baixa. Call tentou captar seu olhar, mas Rufus estava imperturbável.

— Isso nos deixa com um último tópico de discussão — disse Graves. — O espião.

Desta vez o murmúrio que correu pela mesa foi de fato muito alto.

— Temos motivo para acreditar que há um espião no Magisterium — declarou Graves. — Alguém libertou o monstro elemental Automotones e o enviou para assassinar o Makar Aaron Stewart.

Todos olharam para Call e Aaron.

— Sim — disse Call. — Isso aconteceu.

Graves fez que sim com a cabeça.

— Vamos colocar diversas armadilhas contra espiões na escola e Anastasia vai ficar de guarda nos túneis onde os grandes elementais são mantidos. O espião será pego, e cuidaremos dele.

Armadilhas contra espiões?, disse Aaron para Call apenas com o movimento dos lábios. Call tentou não rir, porque o que ele estava imaginando era um grande buraco no chão escondido com papéis importantes ou coisa do tipo. Mas considerando que, para variar, a Assembleia e o Magisterium pareciam ter um plano para cuidar do verdadeiro perigo, talvez Call pudesse passar seu Ano de Bronze apenas aprendendo coisas e se envolvendo em encrencas normais e divertidas, em vez das que acabam com o mundo e tudo mais.

Desde que mantivesse Devastação longe da floresta e dos assassinos de animais.

Desde que o Mestre Joseph não voltasse.

Desde que realmente não houvesse nada de errado com sua alma.

CAPÍTULO TRÊS

Terminada a reunião com a Assembleia, Call e Aaron ficaram livres para voltar para a festa. Canapés estavam sendo servidos, mas Call estava sem fome. Estava pensando na família caótica de Devastação e em todos os outros animais Dominados pelo Caos na floresta. Call não se lembrava de *ser* Constantine Madden, mas isso não significava que não devesse algo às inocentes criaturas que Constantine havia transformado. Tinha que haver algo que ele pudesse fazer.

— Então, como foi a reunião secreta? — perguntou Jasper, aproximando-se com Celia e Tamara. Os três pareciam alegres e relaxados, como se tivessem rido bastante. Ou talvez dançado. Algumas pessoas tinham começado a dançar do outro lado da festa. Call ficou olhando com desconfiança.

— Estranha — respondeu Aaron, sem perceber o humor de Call. Aaron pegou um salgadinho de queijo da bandeja de um garçom e enfiou na boca. Depois emitiu um ruído abafado, como se tivesse planejado falar mais antes da fome bater.

Call contou tudo.

— Foi sobre pessoas e animais Dominados pelo Caos. Sobre nos livrarmos deles, basicamente.

— Devastação não! — disse Tamara com horror estampado nos olhos escuros. Call ficou feliz por ela ter a mesma reação que ele tivera. Era bom ser lembrado que Devastação também era importante para seus dois melhores amigos.

Mais dois garçons passaram com petiscos em bandejas. Call pegou três torradas de camarão de uma e um espeto de frango de outra. Era melhor tentar comer alguma coisa, pensou, apesar de estar com o estômago embrulhado. Jasper encheu o próprio prato com uma quantidade enorme de itens e começou a comer com a determinação de um tubarão.

— Devastação foi liberado — disse Call. — Mas Graves está basicamente no modo faxina. Quer apagar tudo que restou do tempo do Inimigo da Morte.

Tamara obviamente tinha muitas perguntas.

— Você... — Ela começou, mas em seguida olhou para Celia e pareceu pensar melhor. Celia não estava com eles quando saíram da escola para tentar encontrar Alastair. Ela não conhecia o segredo de Call. — Esquece. Hoje vamos simplesmente nos divertir. Aaron, vamos, vem dançar comigo.

Aaron conseguiu pegar mais um salgadinho de queijo antes de ser puxado por Tamara. Entregou seu prato vazio a Jasper e desapareceu na massa de pessoas dançantes em um giro da saia amarela de Tamara.

Celia lançou a Call um olhar esperançoso que ele fingiu não notar. Com aquela perna, ele não tinha chance de fazer nada além de passar vergonha em uma pista de dança. Call sorriu para ela, mas não disse nada. Depois que o momento constrangedor se estendeu pelo máximo de tempo que um momento constrangedor pode se estender, Celia suspirou.

— Vou buscar alguma coisa para beber — disse ela, então foi em direção a uma enorme vasilha de ponche.

— Incrível, hein? — disse Jasper. — Acho que tudo o que dizem sobre o carisma mortal de Constantine talvez não seja tão verdadeiro.

De todos eles, Jasper era o único que Call às vezes via olhando para ele com desconfiança ou preocupação, como se talvez não o conhecesse.

— Não sou o Inimigo — disse Call baixinho.

— Vamos testar — disse Jasper, olhando para o prato de Call. — O Inimigo da Morte jamais me daria o último espeto de frango.

Call entregou sem dizer nada. Não estava mesmo com fome.

— O Inimigo da Morte também jamais me apresentaria para aquela gata que acabou de acenar para você.

Call olhou surpreso para ver que a menina a quem Jasper se referia era alguém que ele já conhecia, uma amiga de Kimiya, a irmã mais velha de Tamara. Ela tinha um cabelo preto longo e maçãs do rosto bonitas. Ela acenou quando o viu olhando em sua direção.

Call lançou a Jasper seu olhar mais maligno.

— Tem razão — disse ele, saindo para encontrar Alastair. Teve a impressão de tê-lo visto falando com Anastasia Tarquin, o cabelo prateado despontando acima da multidão. Call estava pas-

Holly Black & Cassandra Clare

sando por um aglomerado de pessoas perto da mesa de bebidas quando alguém o cutucou no ombro.

Era a menina que Jasper mencionara, Jennifer Matsui. Ela era do Ano de Ouro, como Kimiya, e de perto era uma cabeça mais alta que Call.

— Callum! — disse ela alegremente. — Parabéns pelo prêmio.

— Obrigado — disse Call, esticando o pescoço para ver Jasper encarando-o do outro lado do salão, como se não conseguisse acreditar no que estava acontecendo. — Foi um bom... prêmio.

Não era o que ele queria ter dito, de forma alguma.

— Tenho uma coisa para você — disse ela, diminuindo a voz a um tom baixo e conspirador. — Uma garota loura e bonita me deu.

Ela estendeu um papel dobrado com o nome de Call escrito. Confuso, Call pegou o bilhete. Jennifer soprou um beijo e voltou em meio à multidão para junto de Kimiya e de um grupinho de alunos que ria junto. Call viu um rosto familiar — Alex Strike, um dos poucos alunos mais velhos de quem ele era amigo. Alex e Kimiya tinham terminado no ano anterior, mas pela forma como estavam próximos e rindo juntos, ou tinham reatado, ou ao menos eram amigos outra vez.

Call desdobrou o bilhete.

Call, precisamos falar a sós. Me encontre na Sala de Troféus. Celia.

Por um longo instante, Call ficou ali apenas encarando o papel, o coração acelerado. Tentou dizer a si mesmo que não deveria se preocupar, que Celia era sua amiga e que muitas vezes já tinham levado Devastação para passear nos arredores do Magisterium. Encontrar com ela na Sala de Troféus não era muito diferente. Mas, pela sua experiência, quando alguém diz "precisamos falar a sós", normalmente o motivo é ruim.

Ou podia ser outra coisa, ligada a *encontros*. Ele já tinha visto alunos do Ano de Bronze de mãos dadas e dividindo bebidas e dando risadinhas pela Galeria. Ele realmente torcia para que não fosse essa a intenção de Celia. Mas e se fosse? E se ele não levasse o menor jeito para a coisa?

Além do mais, ele nem sabia onde ficava a Sala de Troféus.

Suas mãos começaram a suar.

Call cerrou os dentes e limpou as mãos na calça. Jasper não tinha acabado de testar suas tendências a Suserano do Mal? Era nisso que Call tinha que se concentrar. Um Suserano do Mal, mesmo quando não se lembra de que é um Suserano do Mal, não deve ter medo de encontrar com uma amiga que calhava de ser menina. Call ia ficar bem. Estava tudo tranquilo.

Com um otimismo renovado e ligeiramente desesperado, ele foi até o mapa de tapeçaria. Viu Tamara e Aaron ainda na pista, dançando com os outros. Ficou imaginando se teria ocorrido a Tamara convidá-lo para dançar, mas sabia que ela sempre escolheria Aaron primeiro. Já tinha aceitado isso havia um bom tempo. Na verdade, Call nem se importava.

Enfim. Celia tinha dito que queria conversar a sós. Coisa que ele definitivamente deveria obedecer, se o assunto estivesse mesmo relacionado a encontros. O que ele torcia muito para que não estivesse.

De acordo com o mapa, a Sala de Troféus não ficava longe. Call se afastou da multidão, passou por algumas portas e por um corredor de mármore com pequenas alcovas nas paredes, dentro delas manuscritos antigos e artefatos. Ele gostava do ruído estalado que seus sapatos faziam no chão ao caminhar. Parou para olhar uma antiga pulseira que provavelmente era o protótipo da que ele estava usando. O couro estava gasto e muitas pedras estavam faltando. Ele não reconheceu o nome do mago na placa atrás da pulseira, mas a data da morte era 1609, o que parecia ter sido há muito tempo.

Mais alguns passos e Call chegou à Sala de Troféus. Sobre a porta aberta, lia-se PRÊMIOS E HONRAS. Call entrou silenciosamente.

Era uma sala majestosa e escura, menor do que o salão principal. Mas, assim como ele, era iluminada por um lustre enorme, feito com braços feitos de vidro soprado, parecendo tentáculos, cada qual com gotas de cristal penduradas como se fossem gotas de água. As paredes eram cobertas por uma coleção de placas e medalhas que provavelmente foram concedidas a alunos do Collegium.

Call estava completamente sozinho.

Ele deu uma olhada ao redor, examinando as fotos de magos nas paredes, desejando uma janela pela qual pudesse olhar os peixes ou alguma coisa para passar o tempo. Tinha certeza de que Celia logo chegaria.

Após vários minutos, ele pegou o bilhete e releu. Talvez tivesse entendido mal. Talvez ela tivesse escrito que o encontraria em quinze minutos ou uma hora. Mas não, o bilhete não especificava horário algum.

Passados mais alguns minutos, Call concluiu que ela não viria.

Sentiu-se inesperadamente mal-humorado. Se esse tivesse sido seu primeiro encontro, tinha sido um fracasso. Celia provavelmente escreveu o bilhete, esqueceu, e logo achou outro para dançar com ela — alguém que de fato pudesse fazer isso. Talvez estivesse dançando com Jasper. Ou simplesmente estava por aí com algum aluno brilhante do Ano de Ouro, que teria contado a ela tudo sobre suas conquistas, deixando-a tão impressionada a ponto de dar um bolo em Call. Mais tarde ele a encontraria do lado de fora do Magisterium para passear com Devastação e ela diria algo com desdém. *Eu ia te encontrar, mas sabe como é... Quando a gente encontra alguém realmente interessante, o tempo voa!*

Call olhou para o próprio reflexo no vidro de uma estante de troféus. Estava com o cabelo arrepiado. Provavelmente ficaria sozinho pelo resto da vida, morreria sozinho, e Alastair o enterraria em um ferro-velho.

A porta abriu. Som de passos. Call girou, mas não era Celia. Eram Tamara e Aaron.

— O que você está fazendo na Sala de Troféus? — perguntou Tamara, franzindo a testa. — Está tudo bem?

Aaron olhou em volta, confuso.

— Está se escondendo?

Call tinha certeza de que nada parecido com isso — levar um bolo e ser humilhado — já havia acontecido com Aaron. E tinha o dobro de certeza de que com Tamara também não.

Pensando bem, o que Aaron e Tamara estavam fazendo aqui, juntos? E se tivessem vindo para ficar de mãos dadas e coisas do tipo? Era ruim o bastante Call ter certeza de que Tamara sempre escolheria Aaron primeiro, mas, se eles estivessem namorando, Aaron também sempre escolheria Tamara.

— Está tudo bem? — perguntou Aaron, a testa franzida em confusão diante do silêncio de Call. — Seu pai disse que te viu vindo nessa direção.

Call ficou muito aliviado por eles não terem vindo para ficar a sós, mas para encontrá-lo. Agora ele só precisava encontrar uma maneira de explicar o que estava fazendo.

— Bem — disse ele, dando um passo na direção dos dois —, vejam...

Ele foi interrompido por um chiado e um barulho metálico horrível. Call olhou para cima no momento em que o lustre, com seus tentáculos, cristais e tudo mais, começou a cair em sua direção.

— *Call!* — Tamara gritou. O lustre estava exatamente sobre Call. Mas então algo o atingiu violentamente pelo lado. Uma dor subiu por sua perna quando caiu no chão e derrapou, os dedos de alguém enterrando nas costas de seu paletó.

Era Tamara. Ele viu um borrão de seu cabelo preto e do vestido amarelo, e então o lustre atingiu o chão ao lado deles. Foi como uma bomba explodindo. Houve um terrível estilhaço musical. Cacos de cristal explodiram na direção deles. Call tentou encolher o corpo para proteger Tamara, que gritou. Depois disso, de repente tudo ficou muito escuro e quieto.

Por um instante, Call se perguntou se estaria morto. Mas não parecia provável que a vida após a morte fosse estar deitado num chão de mármore ao lado de Tamara, enquanto uma nuvem preta pairava sobre eles. Tamara estava com a respiração ofegante e com os olhos arregalados. Call rolou para o lado de um jeito meio esquisito e a encarou.

Aaron estava de pé na frente deles, com a mão esticada. Caos escuro e nebuloso se derramava de sua mão, formando uma parede ao redor de Tamara e Call. Ele atraía para si os cacos de vidro e de cristal do lustre que flutuavam no ar. Call tentou chamar Aaron, mas o caos conteve sua voz.

Call sentiu um puxão dentro de si — como ele era o contrapeso de Aaron, sentia toda vez que o amigo usava a magia do caos.

Atrás de Aaron, o salão parecia tremular — e em seguida, Aaron abaixou a mão e a escuridão desapareceu.

Call ficou de pé com dificuldade, esticando o braço para ajudar Tamara a se levantar. Um caco de vidro tinha feito um corte na bochecha dela, que sangrava. Tamara pegou seu braço com uma força absurda, mas, agora que estava de pé, Call pensou que talvez a intenção dela fosse impedir que ele não caísse. Aaron estava apoiado na parede, com os olhos arregalados e arfando pelo esforço.

— Mas o que — perguntou ele, rouco — foi isso?

Antes que Call pudesse responder, as portas se abriram e os outros convidados da festa invadiram o recinto.

CAPÍTULO QUATRO

A visão de Call estava turva e isso deixava tudo um pouco surreal. As pessoas entravam, chocadas e boquiabertas. Vozes murmurando e gritando inundaram seu cérebro.

O lustre parecia um enorme animal morto, abatido no meio do salão. Quase todos os braços da peça estavam estilhaçados, e cacos de vidros se espalhavam por todo canto, brilhantes e afiados.

— O que está acontecendo aqui? — gritou um homem de cabelos pretos. Call tinha uma vaga lembrança da cerimônia e achava que ele era um professor do Collegium e se chamava Mestre Sukarno. Era um homem grande, imponente e estava com o rosto rubro de fúria.

— Isso foi magia do caos! — Ele virou para Aaron e Call. — Vocês estavam *brincando* com magia do vazio? São realmente tolos assim? Em todos os lugares esse tipo de magia é estritamente regulamentada, mas aqui nestes salões ela é proibida. Estamos embaixo da água e não podemos arriscar a integridade da estrutura da escola porque crianças arrogantes resolveram se divertir! Poderíamos ter todos nos afogado.

Tamara parecia prestes a explodir de raiva.

— Como *ousa*! — disse ela. — Ninguém estava brincando. Estávamos aqui quando o lustre caiu e quase nos esmagou. Se Aaron não tivesse feito o que fez, eu e Call estaríamos mortos! Não aconteceu nada com seu precioso Collegium! Está tudo bem!

— O que vocês fizeram para o lustre cair? — perguntou o Mestre Taisuke, um dos Mestres do Magisterium. — Ele está pendurado aí há cem anos. Vocês três entram aqui e ele simplesmente cai?

— Basta! — Era a voz do pai de Tamara. Os Rajavi tinham levitado sobre os destroços para chegar até a filha. Do outro lado do recinto, Call conseguia ver Kimiya e Alex juntos, ambos olhando a cena com os olhos arregalados de horror. A mãe de Tamara disparou em direção à filha, puxando-a para longe de Call, afagando seu cabelo e olhando para ela com preocupação. A mulher cuidou do corte na bochecha de Tamara, estancando o sangue com um guardanapo. Logo depois era Alastair quem abria caminho na multidão para chegar a Call. Ele estava pálido, mais pálido do que Call esperaria. Ele nem se incomodou em levitar, só abriu caminho pelos cristais estilhaçados e pelo metal retorcido, até agarrar Call e puxá-lo para os seus braços.

— Callum — disse ele com a voz áspera. Sobre o ombro do pai, Call podia ver Aaron, ainda apoiado contra a parede. Não havia ninguém ali para cuidar de seus cortes ou abraçá-lo. Com uma expressão estranha no rosto, ele olhava para a própria mão, a que tinha usado para liberar o caos.

— Minha filha não é encrenqueira — irritou-se o Sr. Rajavi.
— Caso tenha se esquecido, estamos todos aqui hoje para homenagear o heroísmo dela...

— E o heroísmo de vários outros alunos — acrescentou o Mestre North, que tinha afastado alguns dos curiosos para perto da parede, para que ele e Mestre Rufus pudessem examinar os destroços do lustre.

— Eu fui contra a cerimônia de premiação desde o princípio — disse Taisuke. — Crianças não devem ser recompensadas por desobediência, mesmo que o resultado final seja positivo.

Mentalmente, Call colocou o Mestre Taisuke na categoria Não É Meu Fã. Era uma categoria em expansão.

— Os Makaris, especialmente, deveriam ser controlados — continuou Taisuke. — Como vimos com Constantine Madden, um jovem Makar que não conhece o próprio poder é a coisa mais perigosa do mundo.

— Então você está dizendo que jovens Makaris devem ser mortos, como é o costume em outros países? — perguntou Mestre Rufus. Ele não falou alto, mas a voz soou nítida, poderosa e firme. — Porque alguém tentou fazer isso. O lustre caiu porque mexeram na corrente. Alguém estava tentando assassinar os Makaris.

— Assassinar? — perguntou Mestre Sukarno, murchando um pouco.

Outro professor do Collegium fez um gesto abrupto no ar e disse uma palavra estranha.

Um rugido súbito e ensurdecedor percorreu o salão. Alastair apertou Call ainda mais, os pais de Tamara a agarraram, e o Mestre Rufus foi na direção de Aaron. Uma espécie de sistema de alarme parecia ter disparado — então de repente um caminho se acendeu

MAGISTERIUM – A CHAVE DE BRONZE

diante deles e, na parede, Call viu portas antes ocultas agora iluminarem-se. Ele, Aaron e Tamara foram levados por uma delas, percorreram um corredor e chegaram a uma sala escura e sem janelas, cheia de sofás e cadeiras. Funcionários do Collegium corriam de um lado para o outro, protegendo a área.

Alguém trouxe cobertores e canecas de chá bem doce que pareciam um pedido de desculpas por Mestre Sukarno tê-los acusado de serem delinquentes relapsos. Anastasia Tarquin surgiu com uma barrinha de cereal e a entregou a Aaron, dizendo que usar toda aquela magia caótica, mesmo com um contrapeso, provavelmente o havia deixado exausto.

Por um instante, Call achou que talvez isso significasse que os adultos os deixariam sozinhos. Tamara estava aconchegada em um sofá com os pais, e Aaron estava encolhido em uma poltrona, parecendo arrasado e exausto. Mas, lógico, nada disso importava. Assim que a equipe do Collegium saiu, Mestre Rufus, Mestre North, Anastasia e Graves começaram a fazer inúmeras perguntas desconfortáveis.

Por que Call foi para a Sala de Troféus? Alguém o ameaçou na festa? Ele sabia que Aaron iria atrás dele?

Não fazia sentido se colocar em uma situação constrangedora na frente da equipe de professores do Magisterium e do Collegium, quanto mais da Assembleia, então Call mentiu. Não, ninguém sabia que ele estava indo para a Sala de Troféus. Não, ninguém sabia que Aaron estaria com ele. Ele detestava dançar e estava andando sem rumo, olhando para os objetos antigos. É óbvio que ele não tinha levado um bolo em um possível encontro. Definitivamente ele não era um perdedor cujos amigos quase foram esmagados sob o lustre da derrota.

47

Depois, Celia e Jasper foram autorizados a entrar. Celia com suas duas mães e Jasper com a mãe e o pai. O Sr. DeWinter deu um empurrãozinho e lançou um olhar severo a Jasper, como se alertando o filho a não fazer qualquer coisa potencialmente humilhante para o nome da família.

Call suspirou, preparado para o pior. Já tinha sido ruim o bastante imaginar Celia explicando por que tinha decidido não ir ao seu encontro, mas ouvir a explicação na frente de todo mundo era como uma bola extra de humilhação em cima de um sundae de vergonha que já era suficientemente grande. Call se perguntou se era ruim desejar ter sido esmagado pelo lustre.

— Vocês são amigos desses três — disse Mestre North a Celia e Jasper, indicando Call, Aaron e Tamara. Celia pareceu satisfeita ao ouvir isso; Jasper, por sua vez, pareceu encarar como uma acusação. — Notaram alguma coisa diferente esta noite? Alguém se comportando de maneira suspeita em relação a eles?

— Jennifer Matsui estava falando com Call — disse Jasper. — O que é estranho porque ela é bonita e popular, enquanto ele é horrível e zero popular — Jasper viu Alastair olhando para ele, e enrubesceu. — Brincadeira. Mas eu não sabia que eles se conheciam.

— Superficialmente — disse Tamara. — Jennifer é amiga da minha irmã.

— Mas ela *não* é amiga do Call — disse Celia, virando-se para ele. — Por que você estava falando com Jennifer, Call?

Call ficou de saco cheio.

— Ela estava entregando o bilhete para mim — disse ele. — O seu bilhete.

— Que bilhete? — Celia pareceu totalmente espantada. — Não escrevi bilhete nenhum.

Call pegou o papel do bolso.

— Então o que é isso?

Celia franziu o rosto para o papel.

— Essa não é a minha letra. E não tem a minha assinatura nem nada; só o meu nome escrito. Ela disse que era meu? — Em seguida, releu as palavras e ruborizou, o pescoço vermelho. — Você foi para a Sala de Troféus porque achou que fosse me encontrar lá?

Tamara fez uma careta.

— Você não contou isso.

— Callum — disse Mestre North, com a voz austera o suficiente para que todos se calassem. — Vamos refazer os acontecimentos de hoje, lentamente. E, desta vez, *você não vai deixar nenhum detalhe de fora*. Está entendendo? Isso é muito importante.

— Certo — disse Call, resignado. — Foi só que eu...

— Sem desculpas — disse Mestre North. — Comece.

— Eu estava procurando Alastair quando Jennifer Matsui me entregou o bilhete e disse que era de... uma loura bonita — disse Call, desejando saber fazer magia o suficiente para se tornar invisível ou fumaça e descer pelos tacos do chão.

Celia sorriu para ele.

— *Jura?*

Jasper tinha começado a rir em silêncio. Ao ver a expressão de Mestre Rufus, tentou parar, mas não teve muito sucesso.

— Você é a única loura que ele conhece — disparou Tamara, visivelmente menos entretida. Ser quase esmagada por dez toneladas de vidro e cristal pareceu deixá-la menos interessada em fazer Call passar vergonha.

Mestre North esticou a mão para pegar o bilhete das mãos de Celia. Olhou o papel por um instante, depois de volta para ela.

— Você não escreveu isso? Tem certeza?

Celia balançou a cabeça.

— Não escrevi. Quer dizer... — Celia lançou um olhar infeliz para Call. — Estou me sentindo muito mal que alguém tenha tentado usar meu nome para tentar machucar você.

— Tudo bem — disse Call, tentando parecer que não se importava com isso. Depois, percebeu que dizer "tudo bem" depois de quase ser esmagado por um lustre era um pouco bizarro. Desolado, ele olhou para o pai. Alastair deu de ombros.

— Onde está Jennifer Matsui agora? — perguntou Mestre Rufus, inegavelmente impaciente com o vacilo de Call. — Provavelmente foi o responsável por sabotar o lustre quem entregou o bilhete a ela. A não ser que a própria Jennifer tenha feito isso.

— Jennifer? — disse Tamara. — Por que ela faria isso?

Aaron franziu a testa.

— Por que *alguém* iria querer matar Call?

— Bem, ele é um Makar — disse Mestre Rufus. — Assim como você.

Aaron, Tamara e Call se entreolharam rapidamente. Era verdade que Call era Makar, mas, na pergunta de Aaron, Call tinha ouvido outra pergunta implícita, a mesma que todos que conheciam o seu segredo provavelmente estavam se fazendo. Um questionamento que não podiam fazer nem compartilhar. Porque enquanto todos pensavam que a pessoa tentando matar Call estava tentando pegar um dos Makaris, havia outra possibilidade: a de essa pessoa estar tentando matá-lo por saber quem ele realmente era.

Talvez, se a verdade vier à tona, Call pensou, *quem quer que tenha tentado jogar um lustre na minha cabeça receba um prêmio também.*

— Sim, com essa personalidade incrível que ele tem é difícil imaginar quem iria querer uma coisa dessas — disse Jasper.

— Jasper! — disse Tamara, mas Call, pela primeira vez, não se importou. Jasper ser um babaca com ele era normal, e naquele momento, normalidade era tudo que Call queria.

Mas isso não iria acontecer. Um grito parou a sala — seguido de outro e depois mais outro. Alguém no Collegium estava berrando de pavor.

Tamara ficou de pé. A barrinha cereal de Aaron voou. Alastair parecia apavorado.

— O que está acontecendo? — perguntou a senhora Rajavi, virando para olhar para os Mestres.

Call também tinha levantado e foi correndo para a porta. A perna dele doía e assim mesmo ele forçou o movimento — mas ainda não era tão veloz quanto os outros. Podia ouvir vozes, gritos e berros, todos ecoando de um dos lados do Collegium.

Correram por um longo corredor, atravessaram outro salão e voltaram para a Sala de Guerra. Estava cheia de gente. A pessoa ainda gritava. Era Kimiya. Uma de suas mãos estava segurando a frente do vestido, e a outra apontava para cima.

Do outro lado do vidro claro, Call via a água ao redor de todo o Collegium, brilhando em um azul-esverdeado meio embaçado. Os cardumes de peixes tinham desaparecido. Havia apenas a água e um corpo flutuando nela. Uma menina, descalça, com um vestido que a envolvia parcialmente, como alga. Seus cabelos escuros balançavam com a corrente.

Tamara correu na direção da irmã, mas Alex já estava abraçando Kimiya. Ele tinha uma expressão de horror no rosto.

— Jen — disse Kimiya entre soluços, o rosto colado na camisa dele. — Jen...

Call sentiu-se congelar. O corpo na água boiou, virou e Call viu duas coisas: primeiro, que havia uma longa adaga de ferro enfiada no peito da menina morta. Segundo, que o rosto era familiar.

Era Jennifer Matsui, e alguém a tinha matado.

CAPÍTULO CINCO

Ouviu-se uma explosão alta.

— Todo mundo, para *fora*! — gritou o Mestre Graves, que tinha subido na mesa da Sala de Guerra. Estava com uma das mãos levantadas, fogo brilhando de sua palma. — Agora!

O rosto do Mestre Rufus estava enrugado e abatido à luz azul. Call se perguntou se o mestre conhecia Jen Matsui. Ficou imaginando como seria para ele ver um aluno morrer. Mestre Rufus tinha sido professor de Constantine Madden — tinha visto muitos alunos morrerem. Será que estaria acostumado com isso? Pela expressão do mestre, Call supôs que não.

Rufus ergueu a mão e a luz irradiada de seus dedos iluminou uma trilha até as portas.

— Andem — disse ele com um tom que não permitia discussão. Os outros Mestres e vários integrantes da Assembleia foram para a frente da multidão e ajudavam os convidados a sair da Sala de Guerra. Em pânico, as pessoas choravam e gritavam.

Elas inundaram o corredor e depois o salão principal. Anastasia Tarquin estava lá com diversos Mestres, incluindo Taisuke. Então começaram a direcionar as pessoas para a escadaria que levava para fora do Collegium. Call viu Celia desaparecendo pelos degraus com as mães e se perguntou se ela estaria bem. Alastair, que estava com uma das mãos no ombro de Call, o empurrou na direção da saída, gesticulando para que Aaron os seguisse.

Ao olhar para trás, Call viu que Tamara estava tendo uma espécie de conversa intensa com os pais e os DeWinter. A Sra. DeWinter não parecia satisfeita, nem os Rajavi. No entanto, a expressão no rosto do Sr. DeWinter era esquisita, como se ele estivesse satisfeito e não quisesse demonstrar. A multidão se dividia em volta deles à medida que seguia para a saída. Aparentemente, os membros da Assembleia não precisavam seguir ordens.

— A gente nem se despediu da Tamara — disse Call para Alastair.

— Agora não — respondeu ele, empurrando Call com mais força. — Temos que sair daqui antes que...

— Alastair — disse o Mestre Rufus. — Espere.

Alastair parou. Call pôde senti-lo tenso de raiva. Ele virou lentamente, assim como Call e Aaron. As cordas flutuantes tinham subido em torno deles, cercando Aaron, Call e Alastair.

— Você não podem simplesmente ir embora — disse Mestra Milagros. — Call foi atacado, e Jennifer, assassinada. Nossos aprendizes precisam ir para algum lugar onde possamos mantê-los seguros.

— Considerando que vocês sequer conseguem manter a segurança desses garotos em uma festa, acho exagerado prometer que

MAGISTERIUM – A CHAVE DE BRONZE

ficarão seguros em algum outro lugar só porque vocês estarão presentes. — A voz de Alastair estava fria.

— As aulas começam em três dias — disse Mestre Rufus. — E tanto eu quanto a Assembleia esperamos encontrar os dois Makaris lá. Vamos mantê-los seguros; vai ter que confiar na gente.

Alastair virou para Rufus, o rosto aceso com a mesma raiva que Call se lembrava de ter visto do Julgamento de Ferro.

— Faz muito tempo que confiei em você, Rufus — disse Alastair. — E veja só o que aconteceu. — Ele esticou a mão e as cordas que os cercavam sucumbiram em cinzas. Faíscas ficaram contidas em seus dedos. Call olhou para Aaron com olhos arregalados. — Avise quando encontrar o responsável, porque até lá, não confio nem um pouco em você. Vamos, meninos.

Alastair foi marchando em direção a escada com Call e Aaron logo atrás. Surpreendentemente as pessoas abriram espaço para que passassem, até os membros da Assembleia. Provavelmente porque todos achavam que era ele a pessoa que tinha cortado a cabeça de Constantine Madden e que parecia pronto a arrancar mais algumas.

Call e Aaron se entreolharam com olhos arregalados enquanto Alastair os arrastava para os degraus.

— Espere! — disse Tamara, correndo para eles e puxando Jasper atrás de si como um rebocador. Os pais dela continuavam no mesmo lugar; tinham afastado Alex de Kimiya e eles mesmo consolavam a filha. — Eu vou com vocês. Nós dois vamos.

— Oi? — disse Jasper. — Nada disso! Não achei que estivesse falando sério. Sua irmã gata precisa de um ombro amigo. Vou me oferecer. Vou me sair bem melhor fazendo isso do que estando em um casebre qualquer que Call e o pai estranho dele...

55

Tamara deu um chute violento em Jasper, que se calou.

Alastair olhou surpreso para ambos.

— Bem, será bem-vinda, mas acho que seus pais não vão querer. Eu os conheço há muito tempo e ficaria surpreso se concordassem em ter você longe da supervisão deles.

Tamara cerrou a mandíbula, um ar de determinação em cada linha do rosto.

— Temos que fazer turnos para cuidar da segurança do Call. Eu disse isso e eles concordaram.

— Turnos? — repetiu Aaron.

— Tentaram matar Call — disse Tamara. — Isso significa que não podemos tirar os olhos dele. Precisamos ter alguém tomando conta dele o tempo todo, vinte e quatro horas por dia.

— Mesmo quando estou dormindo? — perguntou Call.

Tamara o encarou muito séria.

— Especialmente quando estiver dormindo — respondeu. — Dormindo você fica vulnerável.

Call não ficou muito feliz com o plano.

— O quê? Não! Não quero Jasper olhando para mim enquanto eu durmo, que coisa esquisita. Não quero ninguém me vendo dormir!

— Podemos discutir isso depois — disse Alastair. — Tamara, Jasper, se quiserem vir conosco estamos indo agora.

Call olhou para Aaron, mas ele não estava prestando muita atenção na discussão. Observava algum ponto além deles na Sala de Guerra e ainda mais distante, onde o corpo de Jen flutuava. Call pensou nas férias que passaram, sem preocupações, construindo robôs e correndo pelo jardim com sprinklers improvisados na mangueira. Se perguntou se tinha sido tolo o bastante para achar que as coisas realmente tinham mudado só por ter feito os magos acreditarem nisso.

— Vamos — disse Tamara a Aaron, tocando-o no ombro e atraindo novamente sua atenção para o aqui e agora. Call se permitiu ser levado pelo pai para as escadas. Passaram pela mesa de bebidas, agora revirada, onde Jen havia entregado o bilhete a Call.

Quando Alastair chegou à escada, ergueu Call no ar, fazendo-o deslizar com facilidade e rapidez sobre os degraus. O gesto foi distraído e sem esforço, assim como quando tinha queimado as cordas de veludo; como se não estivesse prestando atenção ao que estava fazendo. Call estava chocado. Seu pai tinha passado tanto tempo evitando usar mágica que Call não achava que ele se lembrasse de como fazer.

Chegaram ao topo da escada e Alastair colocou Call cuidadosamente no chão. Ele começou a marchar na frente dos quatro, pela orla, em direção ao carro estacionado.

Tinham acabado de passar pela estátua gigante e estranha de Poseidon quando Jasper notou o Rolls-Royce Phantom de Alastair. Ele deu um assobio longo e satisfeito que se encerrou abruptamente — em um ruído engasgado — quando percebeu que o carro que admirava pertencia ao pai de Call.

— Não é o que você esperava? — perguntou Call quando Alastair abriu a porta e os conduziu ao espaçoso banco de trás.

Pela primeira vez na vida, Jasper parecia sem palavras. Todos entraram silenciosamente no carro, Call no banco do carona. Ao se afastarem da calçada, Call olhou para trás e viu um grupo de magos perto do mar, junto à entrada do Collegium. Enquanto observava, um deles entrou na água e desapareceu.

— Magos da água. Vão buscar o corpo da menina — disse Alastair com um tom severo.

Call desviou o olhar. Era difícil acreditar que aquela Jen alegre, que o havia provocado ao entregar o bilhete e que Jasper queria conhecer, estava morta. A noite tinha sido para homenagear o fim da guerra, mas, de algum jeito, esse detalhe tornava os acontecimentos ainda mais grotescos. Será que algum dia poderia haver paz de verdade, Call pensou, uma vez que o Inimigo da Morte não está mesmo morto?

↑≋△○◉

Ao chegarem em casa, Alastair deu um jeito de encontrar travesseiros e cobertores o suficiente para todos eles. Aaron abriu mão de seu catre para que Tamara pudesse ficar entocada; sim, esse era Aaron. Jasper ficou com o sofá, apesar de ter reclamado muito de não ser do tipo sofá-cama, e acusou Devastação de ter deixado pulgas nas almofadas. Call, que sabia muito bem que Devastação não tinha pulgas, tinha voltado a odiar Jasper. Aaron pegou uma pilha de cobertores, fez uma cama improvisada no chão ao pé de Call e foi dormir.

O próprio Call já estava quase dormindo quando ouviu uma batida à porta. Era Tamara, parecendo ligeiramente envergonhada.

— Tem alguma roupa que eu possa usar como pijama? — perguntou ela. — Só tenho isso — indicou o vestido de festa —, e, bem, provavelmente eu não deveria dormir sem...

Call percebeu que estava ruborizado. Desejou que pudesse ser totalmente sem complicações o fato de ter uma menina como melhor amiga. Deveria ser exatamente como era com Aaron. Não deveria importar o fato de que Tamara era uma garota. Mesmo assim Call se sentiu desajeitado e tolo enquanto vasculhava sua gaveta de camisas. Achou uma camiseta grande que dizia BEM-VINDO À CAVERNA LURAY em amarelo fosforescente. Entregou em silêncio.

— Obrigada — disse Tamara. — Vou lavar e devolver...

— Tudo bem, pode ficar com ela...

—... E Call?

— Quer dizer, eu nunca usei mesmo, é grande demais e...

— Call — repetiu ela, olhando para Call com olhos grandes e sérios. — Vamos manter você em segurança, ok?

Call queria poder acreditar.

— Ok — disse ele.

↑≋△○◉

No dia seguinte, Call, Tamara e Jasper estavam sentados no jardim. Tamara usando o vestido amarelo e Jasper com uma estranha combinação de peças de roupas dele e de Call. O dia estava muito ensolarado e Tamara olhava com desconfiança para a limonada em pó que Alastair tinha preparado. Call suspeitava que ela não costumasse beber coisas instantâneas. Jasper olhava com arrogância para o pequeno quintal de Call e para a grama ligeiramente alta.

Não que Alastair parecesse notar. Ele estava sentado em uma pedra, mexendo em um despertador quebrado. Apesar de haver alarmes digitais e celulares hoje em dia, as pessoas pagavam caro por telefones antigos e outras coisas consertadas de modo a funcionarem bem.

— Então o que isso quer dizer? — Tamara perguntou. — Se alguém está tentando machucar Call porque ele é o... — Ela engoliu em seco.

— Inimigo da Morte? — Jasper ofereceu.

— Não acho que seja uma boa ideia ficar repetindo "Inimigo da Morte" — disse Aaron. — É melhor bolarmos um código. Como Capitão Cara de Peixe.

Devastação latiu. Call concordava que o nome era péssimo.

— Por que Capitão Cara de Peixe?

— Bem, você tem uma cara meio de peixe — disse Jasper. — Além do mais, ninguém jamais adivinharia o que estamos falando porque não há nada de assustador nisso.

— Tudo bem, que seja — disse Tamara, parecendo achar tudo aquilo uma perda de tempo. — Então quem será que sabe que Call é o Capitão Cara de Peixe?

— Eu me recuso a ser chamado assim! — disse Call. — Principalmente levando em conta os recentes eventos.

Tamara resmungou como se esta conversa a estivesse atormentando mais do que a Call.

— Tudo bem, como você quer ser chamado?

— Que tal Comandante Cabeça de Vento? — sugeriu Aaron. Jasper riu, cuspindo a limonada.

Call apoiou a cabeça nas mãos e respirou fundo, absorvendo os aromas do verão — o perfume da terra morna, da grama cortada e do óleo de máquina. Não tinha como sair ganhando. Ele ficaria com um nome idiota de qualquer forma.

— Pode ser Capitão Cara de Peixe.

— Ótimo — disse Tamara, revirando os olhos. — Agora podemos conversar sobre quem pode saber sobre Call?

— O pai dele — disse Jasper, e todos olharam para Alastair, que parecia totalmente alheio, assobiando uma canção alegremente e um pouco fora do tom.

— Meu pai não está tentando me matar — disse Call. Há um ano ele não tinha tanta certeza disso, mas agora sim. — E também não acho que seja nenhum de vocês. Nem você, Jasper. Quem mais?

— Algum de nós contou para alguém? — perguntou Tamara, olhando para o grupo.

— Para quem eu contaria? — perguntou Jasper, e em seguida empalideceu com os olhares demorados que recebeu. — Não, ok? Não contei para ninguém! É um segredo grande demais, e eu também me encrencaria.

— Nem eu — disse Aaron.

Tamara suspirou.

— Eu não contei. Mas achei melhor perguntar. Tudo bem, então chegamos ao Mestre Joseph. Ele deve estar muito irritado com Call.

— Achei que ele precisasse de Call — disse Jasper. — O Capitão Cara de Peixe não é, tipo, a razão de viver dele?

Aaron sorriu.

— Acho que ele estava torcendo para Call ser bem mais obediente do que é, ou para que pudesse usá-lo para trazer de volta o Capitão Cara de Peixe com todas as lembranças intactas.

Call, que achava basicamente o mesmo, estremeceu.

— Pode ser que ele me culpe pela morte de Drew.

— Provavelmente ele também me culpa — disse Aaron. — Se faz você se sentir melhor.

Drew era o filho do Mestre Joseph. Ele tinha ido para o Magisterium se passando por um aluno normal, mas seu verdadeiro

motivo era se aproximar de Call. Drew até ajudou o pai a sequestrar Aaron e depois o colocou em uma jaula com um elemental do
caos que, ironicamente, acabou matando o próprio Drew. Mas
Call tinha que admitir que ele também tinha alguma coisa a ver
com isso.

— Muito bem — disse Tamara. — Nosso principal suspeito é
o Mestre Joseph.

Call balançou a cabeça.

— Não sei. Se ele quisesse me pegar, por que não usar o
Alkahest? E, bem, acho que ele ainda não está pronto para desistir.
Ele tentou salvar a minha vida no túmulo. Acho que ele ainda tem
esperança de que eu vá ficar... mais parecido como o Capitão Cara
de Peixe.

— E Warren? — perguntou Aaron. Todos o encararam por um
longo instante.

Call olhou para ele do mesmo jeito que Tamara tinha olhado
para a limonada.

— Você acha que um lagarto está tentando me matar? E que
ele forjou um bilhete de Celia?

— Ele é um elemental! E estava a serviço do Devorado que nos
deu aquela profecia arrepiante. — Aaron suspirou. — Ok, é uma
teoria muito maluca.

— Tudo bem — disse Tamara. — Temos que pensar fora da
caixa. Por mais improvável que seja, temos que colocar todas as
nossas ideias na mesa. Ou, pelo menos, nesse gramado.

— Não temos nenhum suspeito — disse Call. — Não temos
ideias. Não sabemos nem por que estavam atrás de mim. Talvez
seja porque sou um Makar. Talvez não tenha nada a ver com o fato
de ser o Capitão Cara de Peixe. Talvez a pessoa que tentou me es-

magar com um lustre seja a mesma que soltou Automotones para nos matar.

— É isso que os magos vão presumir. — Tamara suspirou. — Talvez seja isso mesmo.

— Vamos ter que nos manter juntos — disse Aaron, sorrindo para o céu azul. — E vamos dar um jeito nisso, ok? Afinal, somos heróis, certo? Ganhamos medalhas. A gente consegue.

Em dado momento Call produziu um baralho e todos jogaram algumas rodadas de um jogo que envolvia dar tapas nas mãos uns dos outros. Falaram sobre voltar para o Magisterium e sobre o que pretendiam alcançar naquele ano. Devastação perseguiu várias abelhas, avançando nelas até que, preguiçosas, retiravam-se do seu alcance. Ao cair da tarde, Stebbins chegou com malas para Tamara e um recado dos pais dela que só poderia ser transmitido confidencialmente. Jasper usou um dos telefones fixos consertados por Alastair, em estilo castiçal, para ligar para casa. Depois de desligar, relatou com tristeza que a família mandaria seus pertences direto para o Magisterium. Call ficou imaginando se ele teria tentado convencer os pais a proibi-lo de ficar aqui. Também se perguntou se os pais de Jasper o teriam obrigado a vir, mas rapidamente afastou a ideia.

— Tá olhando o quê? — perguntou Jasper quando notou Call olhando em sua direção.

— Nada — respondeu Call. A última coisa que precisava era ter que se preocupar com Jasper.

Naquela noite todos jantaram do lado de fora, em pratos de papel. Alastair assou carne, que foi servida com milho amanteigado, ervilhas e fatias frias de melancia. Tamara jogou melancia em Aaron, que ficou com caroços por dentro da blusa. Devastação subiu em Jasper quando ele se recusou a lhe dar um pedaço de carne. Eles brincaram de ver quem conseguia fazer faíscas sobre os carvões na grelha. Foi quase uma festa, exceto pelo fantasma da morte de Jen, que os impedia de rir alto ou de se esquecer por muito tempo de que poderiam ser os próximos.

↑≈△○◉

Dois dias depois, Alastair levou todos ao Magisterium. Call foi no carona, olhando pela janela enquanto Aaron cochilava no banco de trás. Tamara estava ouvindo música no celular e Jasper lia o mais novo quadrinho encontrado no quarto de Call, pelo qual estava obcecado. Devastação estava esticado ao longo dos colos, dormindo.

— Me avisa se quiser voltar para casa — disse Alastair a Call pela milionésima vez. — Você já fez o suficiente. Sabe bastante mágica, o suficiente para controlar suas habilidades. Não precisa do Magisterium.

Call se lembrou de Graves insistindo para que o Mestre Rufus o atualizasse sobre a evolução dos Makaris. Ele se lembrou de todas as referências a países onde magos com a habilidade de controlar o caos eram mortos ou privados da magia — apesar de ser uma festa para homenageá-los. Enquanto Constantine Madden estava vivo, Makaris eram ótimos. Eram armas muito necessárias. Eles significavam o fim da guerra. Mas com Constantine Madden morto, Aaron e Call não passavam de lembretes da guerra e de como ela poderia retornar. Call duvidava que fosse poder abandonar o Magisterium, independente do que Alastair acreditasse.

— Tudo bem, pai — disse Call. — Vou ficar bem.

MAGISTERIUM – A CHAVE DE BRONZE

À medida que se aproximavam do Magisterium, as estradas se tornavam mais estreitas e curvas. Não tinham nenhuma sinalização: só aqueles que sabiam onde o Magisterium ficava conseguiam encontrá-lo. Call sempre ficava imaginando que tipo de magia impedia que andarilhos e pessoas normais fossem parar lá. Alguma coisa avançada, ele supunha. Alguma coisa relacionada à terra. As floresta ficava mais densa às margens da estrada. Call não conseguia deixar de pensar na Ordem da Desordem — era evidente que a Assembleia sabia sobre eles e tolerava sua existência, mas ele não conseguia entender o motivo.

Ouviram um apito à frente e isso trouxe a atenção de Call de volta para a estrada. Pararam o carro em uma clareira, onde um ônibus escolar já havia chegado. Alunos saltavam dele, carregando malas e bolsas. O portão principal da escola estava aberto; por ele, Call podia ver magos em vestes de um preto sóbrio e vários alunos de uniforme — vermelho, branco, azul, verde e cinza — misturados a alunos que tinham acabado de chegar e ainda vestiam jeans e camiseta.

Aaron acordou e ele, Jasper e Tamara começaram a se cutucar, inclinando-se para as janelas ao reconhecerem colegas dos anos anteriores — Celia lançou a eles um sorriso reservado ao atravessar os portões com Gwenda, que era do mesmo grupo de aprendizes que ela e Jasper. Alex Strike conversava com Anastasia Tarquin, que tinha estacionado seu Mercedes branco ao lado do ônibus escolar. Call já tinha visto aquele carro antes: era o mesmo que ela dirigia quando foi buscar Alex na casa dos Rajavi no ano passado. Call quase tinha se esquecido: Anastasia Tarquin era madrasta de Alex.

Anastasia emergiu do carro em um terninho branco, elegante como sempre. Alex gesticulava para ela, parecendo irritado, quando uma van preta parou ao lado deles. A porta traseira se abriu e dois jovens musculosos saltaram, para deleite de alguns dos alunos do Magisterium. Começaram levar móveis volumosos pelos portões — uma mesa, uma luminária e um sofá perfeitamente branco.

— O que está acontecendo ali? — Alastair pensou alto enquanto todos saltavam do Rolls-Royce. Call se espreguiçou para relaxar a musculatura. Devastação fez o mesmo.

— A Assembleia colocou Anastasia na escola para ficar de olho nas coisas — respondeu Alex, que tinha abandonado a madrasta para cumprimentá-los. Ele cumprimentou Call e Aaron com um *high-five* e sorriu para Tamara. — Ela vai ficar no antigo escritório do Mestre Lemuel. Anastasia leva isso muito a sério e... Bem, podemos dizer que ela também exagera nas malas.

— Ela vai procurar o espião? — perguntou Alastair.

— Acho que não devemos falar sobre isso — disse Alex, olhando para Jasper com preocupação. — Quer dizer, ninguém deveria saber.

Alastair ergueu as sobrancelhas e disse:

— Ainda bem que Anastasia está sendo bem discreta.

Alex olhou para a madrasta, que estava supervisionando o carregamento de várias malas enormes para dentro das cavernas. Estavam todas cobertas de carimbos antigos de lugares distantes — México, Itália, Austrália, Riviera Francesa, Provença, Cornualha.

— A história que vai acobertá-la é que ela veio para cá a fim de garantir que o processo de expulsão dos animais Dominados pelo Caos da floresta corra bem.

Call colocou a mão nas costas de Devastação, com a intenção de tranquilizá-lo. Devastação olhou para ele, começando a abanar o rabo. Uma onda de raiva o percorreu ao pensar que alguém poderia querer machucá-lo.

É bom que não, pensou.

Alastair voltou-se para Call.

— Se mudar de ideia, sabe como me encontrar — disse, e então abraçou Call com força. Força um pouco demais, para falar a verdade, deixando o garoto preocupado com as costelas.

— Tchau, pai — disse Call com a voz esganiçada. Mesmo com o aperto um pouco exagerado, era a primeira vez que Alastair aceitava bem que ele fosse para o Magisterium. A sensação era ótima.

Tamara tinha encontrado Kimiya e as duas estavam rindo. Jasper tinha ido em direção a Celia e Gwenda. Aaron, o único que tinha ficado à espera de Call, lançou a ele um sorriso de lado. Call ficou imaginando quão difícil deveria ser para Aaron ficar o tempo todo perto das famílias de outras pessoas.

— Passa isso pra cá — disse Aaron, colocando a bolsa de Call no ombro e levantando a própria bagagem com a outra mão. Ele começou a caminhar na direção da escola, aparentemente nem um pouco abalado pelo peso que carregava. Call foi atrás dele, com a perna dura da viagem, e pensou em como a vida era injusta.

As cavernas eram úmidas, mas legais. Água pingava das estalactites para as estalagmites que pareciam velas derretidas. Lâminas de gipsita pendiam do teto, lembrando bandeiras e faixas de uma festa há muito esquecida. Call passou por tudo aquilo, pela pedra molhada e pelas piscinas que brilhavam por causa da mica, peixes claros nadando à toda velocidade. Ele estava tão acostumado com tudo aquilo que não achava mais realmente estranho. Era só o local onde estudava, tão familiar quanto a batida dos armários de metal e o barulho dos tênis derrapando no chão do ginásio eram há três anos.

Ficou imaginando se veriam Warren, assassino em potencial, e se ele teria alguma coisa horripilante a dizer para eles, mas o lagartinho não estava em lugar nenhum.

Call usou sua pulseira, com todas as suas pedras novas, para tecer o caminho até o quarto. Aaron colocou a mala de Call no sofá com um resmungo que fez o amigo se sentir um pouco melhor em relação às próprias habilidades e um pouco mais culpado quanto à generosidade de Aaron. O quarto parecia menor do que no ano anterior, e ele levou um instante para perceber que foi porque ele mesmo tinha crescido, e não porque o quarto tinha encolhido.

A porta se abriu e Tamara entrou, puxando as malas.

— Eu não sabia para onde vocês dois tinham ido! Simplesmente sumiram! — anunciou, o que era completamente injusto, porque foi ela que sumiu, Call pensou. Ela se virou para Aaron. — E você sabe que não podemos deixar Call sozinho!

— Eu não deixei — disse Aaron.

— Humpf. — Foi o que Tamara disse, antes de entrar no próprio quarto. Call foi para o dele, que estava frio, empoeirado e abandonado, como sempre acontecia no início de um ano escolar. Ele abriu a mala e vestiu o uniforme: azul no terceiro ano. Fechou os punhos da camisa e se olhou no espelho do armário. Houve um tempo em que ele era baixo o suficiente para se enxergar inteiro no vidro; agora, a cabeça estava mais acima e ele tinha que agachar.

Ele foi para a sala compartilhada e encontrou Aaron e Tamara esperando, ambos uniformizados. Após prometer para Devastação que traria algumas sobras pra ele, foram ao refeitório para o jantar. Todos, exceto os alunos do Ano de Ferro — que estavam chegando de seus Julgamentos e normalmente podiam comer no quarto — tomavam seus lugares às mesas de sempre e escolhiam entre as opções do cardápio. Hoje havia um purê arroxeado, cogumelos grandes cortados em fatias tão grossas que quase pareciam de pão, cobertos por uma pasta amarela, e três tipos de líquen — verde vibrante, marrom e vermelho-escuro. Call empilhou tudo no prato, junto com um copo de líquido com uma camada fina de alga por cima.

Era assustador o quanto Call achava o líquen delicioso. Ele levou o garfo à boca como um homem faminto e imaginou se seria possível que o líquen tivesse algum propósito sinistro. Como a capacidade de realizar uma lavagem cerebral que o faria comer tanto que acabaria se tornando uma forma de vida inteiramente baseada em líquen. Seria possível? Ele deu uma olhada longa e desconfiada na próxima garfada antes de comer.

Jasper sentou ao lado de Call, como se fossem amigos, ou coisa do tipo.

— Então, qual é o plano?

— Do que você está falando? — perguntou Call.

— Ah, deixa pra lá — respondeu Jasper, revirando os olhos, e depois virou para Tamara. — Nem sei por que perdi meu tempo perguntando para ele. Qual é o plano?

— Não podemos conversar aqui — disse ela, inclinando-se e baixando a voz. Call não pôde deixar de reparar que o corte sob o olho dela continuava visível, uma linha fina. Toda vez que ele o via, pensava em seus dedos no paletó dele, puxando-o para a segurança. Pensou no que devia a ela.

Ele devia muito a todos os amigos. Não sabia se um dia seria capaz de retribuir.

Aaron, que estava falando com Rafe — outro aluno do Ano de Bronze — sobre os robôs que ele e Call tiveram que construir no verão, pareceu perceber que tinha algo importante rolando. Interrompeu a conversa com Rafe e juntou-se ao grupo.

— Amanhã — respondeu Tamara —, depois do jantar, vamos nos encontrar na biblioteca. Aí poderemos conversar.

— Do que estamos falando? — perguntou Celia, sentando diante de Call com um prato cheio de purê roxo. — Está acontecendo alguma coisa?

— Não! — Aaron e Jasper falaram ao mesmo tempo.

— Ah claro, não parece nem um pouco suspeito. — Ela se levantou. — Se não queriam que eu me sentasse aqui, era só avisar. Eu vou para outro lugar e...

Call ficou de pé num pulo.

— Não — disse antes de pensar em *como* poderia convencê-la a ficar. — Estávamos falando sobre a Galeria. Mas não decidimos ainda se vamos. Mas, quero dizer, talvez a gente vá. Na Galeria, digo.

— Está me convidando para ir a Galeria com você? — perguntou Celia, com uma expressão impossível de interpretar. A Galeria era o lugar para onde duas pessoas iam quando estavam...

Num encontro. Ela está falando de um encontro. Ela acha que estou convidando-a para sair.

— Eu... não sei? — Call gaguejou.

— Bem, talvez devesse descobrir — disse Celia, jogando o cabelo louro para o lado e saindo para sentar com Rafe, Kai e Gwenda.

— A bola está nas suas mãos, meu amigo — anunciou Jasper assim que Celia ficou fora do alcance da voz.

— Você está misturando as metáforas — disse Call. — Está me dando dor de cabeça.

— Podemos falar sobre salvar a vida de Call de fato, em vez de salvar sua vida amorosa? — disse Tamara, parecendo de saco cheio.

— Até amanhã à noite, um de nós vai ficar com Call o tempo todo. Provavelmente terá que ser Aaron e eu, porque se for você, Jasper, todo mundo vai achar estranho, considerando que você não gosta de Call.

— Lógico que gosta — disse Aaron, parecendo surpreso. — Somos todos amigos.

— Que seja — disse Tamara. — Amanhã, depois do jantar, biblioteca. Levem boas ideias. — Ela olhou para o lado. — Alex Strike está gesticulando para mim. Eu já volto. — Ela se levantou e pegou Aaron pela manga da camisa. — Vamos. Provavelmente ele quer falar com você também.

— Quê...? — Aaron começou a dizer ao ser levantado e puxado para a mesa onde Alex, Kimiya e seus outros amigos do Ano de Ouro estavam sentados. Pareciam um grupo melancólico. Call não podia culpá-los. Perder uma amiga daquele jeito...

— Então, você gosta da Celia ou não? — perguntou Jasper, mastigando um pedaço de líquen. Ele estava com corte de cabelo novo antes da cerimônia. Penteado, o cabelo parecia lambido e uma mecha escura recaiu sobre seus olhos.

— O que você tem a ver com isso? — perguntou Call.

— Talvez *eu* a convide para sair — disse Jasper. — Já pensou nisso?

Call não tinha pensado. Arregalou os olhos.

— Faz o que você quiser — disse por fim.

— Acho que você *realmente* não se importa. — Os olhos de Jasper brilharam, entretidos. — Talvez porque goste da Tamara?

— Jasper...

— Você gosta? Da Tamara?

— Ela é minha melhor amiga — respondeu Call, entredentes.

— Isso não quer dizer nada. — Jasper girou o garfo entre os dedos. — As pessoas vivem gostando umas das outras em grupos de aprendizes. Veja Kimiya e Alex Strike. Ou, você sabe, eu e Celia. Você super poderia gostar da Tamara...

— Que importância isso tem? — Call explodiu de raiva, para a própria surpresa. Ele olhou para Jasper, e com a voz baixa disse: — Você não entende? Isso não importa. Ela sempre vai preferir o Aaron.

Os olhos de Jasper se arregalaram.

— Uau — disse ele. — Parece que acertei uma verdade incômoda aí.

A cabeça de Call estava uma bagunça. Vagamente, através da multidão, ele pôde ver Aaron e Tamara vindo em direção a eles. Estavam rindo, como sempre faziam quando estavam juntos.

— Isso que eu acabei de falar — Call olhou para Jasper —, não repita.

Jasper se inclinou para trás na cadeira.

— Não se preocupe, Callum — disse ele com sarcasmo. — Guardo todos os seus segredos.

CAPÍTULO SEIS

As aulas naquele primeiro dia foram ao ar livre, sob o sol quente, os alunos sentados em um semicírculo de pedras. O Mestre Rufus achava que, como a Assembleia em breve pretendia começar andar pela floresta, era melhor usarem a parte externa o máximo possível até lá. Call sentiu falta do frescor das cavernas. Sua camisa logo ficou molhada de suor. Até o couro cabeludo parecia estar queimando com o sol. O nariz e as bochechas de Aaron já estavam vermelhos, e Tamara estava usando um dos cadernos como chapéu.

— Bem-vindos ao Ano de Bronze do Magisterium — disse Mestre Rufus, andando de um lado para o outro na frente deles, a cabeça careca brilhando. — Vocês podem não ser a *maior* encrenca que já peguei em termos de aprendizes, mas certamente estão quase lá. Vamos tentar conduzir este ano de um jeito diferente.

Considerando que Mestre Rufus se referia a um antigo grupo de aprendizes que incluía o próprio Capitão Cara de Peixe, isso realmente era significativo.

— Todos nós acabamos de receber medalhas! — disse Tamara, que recebeu um olhar severo por interrompê-lo, mas continuou assim mesmo: — Somos o oposto de encrenca.

As sobrancelhas do Mestre Rufus fizeram um movimento complicado, subindo e sacudindo ao mesmo tempo.

— Mesmo assim, vamos tentar nos certificar de que nenhum de vocês seja sequestrado ou partam em missões de resgate ou adotem mais animais Dominados pelo Caos ou abandonem a escola por algum motivo.

Ninguém teve o que responder diante disso.

— Este ano aprenderemos sobre *responsabilidade pessoal*. Vocês podem achar que isso não seja particularmente parecido com uma lição de mágica, mas foi no Ano de Bronze que Constantine iniciou seus experimentos com Mestre Joseph, tentando descobrir um caminho para a imortalidade. Este é o ano em que vocês deixam o básico para trás e começam a focar naquilo em que podem se especializar. Sendo assim, queremos ter certeza de que todos, mas principalmente Call e Aaron, entendam a amplitude de implicações embutidas em cada especialização. É bom que comecem a pensar nos limites da magia do caos. Em como é irresponsável e desonesto usar métodos que ponham vidas em risco só para descobrir esses limites. Como todas as escolas, estamos sempre interessados em aprendizado, pesquisa e em ampliar os limites do conhecimento. Mas temos de equilibrar isso com a nossa obrigação de proteger o mundo, mesmo que seja de nós mesmos.

MAGISTERIUM – A CHAVE DE BRONZE

— E — Mestre Rufus prosseguiu — quero que se lembrem que, nos anos anteriores, vocês atravessaram os portões da magia antecipadamente. Isso deve lhes ensinar não que são melhores do que os outros alunos, mas que os portões da magia só se abrem quando o aluno está pronto. Se não aprenderem as lições do Ano de Bronze, permanecerão no ano de Bronze até que o façam.

Call olhou para Aaron e Tamara. Pareciam tão assolados quanto o próprio Call. Não sabia ao certo como nenhuma das coisas que o Mestre Rufus estava falando poderia ser ensinada na escola. Era remotamente possível, no entanto, que seu cérebro estivesse ficando lento por insolação.

— Mais uma coisa — disse Mestre Rufus. — Em relação ao espião no Magisterium. Tamara, acho que não falei diretamente com você sobre isso, mas tenho certeza de que Call ou Aaron já lhe informaram, então não vou constranger a nenhum de nós fingindo o contrário. Você tem direito de saber. Contudo, eu insisto, *insisto*, que não tentem capturar o espião por conta própria. Deixem isso conosco.

Nenhum dos dois disse nada.

As sobrancelhas do Mestre Rufus ficaram ainda mais unidas.

— Entenderam?

Call assentiu.

— Com certeza — disse Aaron.

— Tudo bem — disse Tamara.

Foi a cena menos convincente que Call já tinha visto na vida. Ele não sabia ao certo se Mestre Rufus tinha acreditado ou simplesmente desistido quando fez que sim com a cabeça e falou:

— Ótimo! Agora, acho que nossa primeira aula deve ser sobre o elemento água e sobre como equilibrá-la com o ar de modo a podermos respirar quando submersos. Sei exatamente em que lago podemos treinar.

Call ficou de pé num pulo, feliz com a ideia de se refrescar. Só quando começaram a se mover que ele se lembrou do corpo de Jen flutuando no mar e ficou imaginando se haveria algum motivo para o Mestre Rufus ter colocado esta aula no primeiro dia.

Apesar dos pensamentos sombrios de Call, a turma passou um dia agradável boiando na parte rasa de um pequeno lago perto da escola. Mestre Rufus deu a cada aluno um amuleto cheio de ar, de onde poderiam extrair oxigênio enquanto estivessem embaixo da água. Nas primeiras tentativas, Call não conseguiu se concentrar e emergiu, cuspindo e engasgando. Aaron também não se saiu muito bem, mas Tamara pareceu tranquila.

Frustrado, Call por fim pegou o amuleto e mergulhou em direção ao fundo do lago. Ele sempre gostou de nadar — na água, sua perna não doía. Ele manteve os olhos abertos. O água era um pouco lodosa, mas fresca; dava para ver as formas borradas de Tamara e Aaron debaixo dela.

Por algum motivo, Call pensou no pai. Tinha visto nas lembranças de Mestre Joseph como Alastair havia escalado a face de uma geleira para chegar até a cena do Massacre Gelado, onde o Inimigo da Morte tinha matado dezenas de magos indefesos. Alastair tinha feito isso pela mulher e pelo filho; utilizara magia da água para formar apoios para as mãos e os pés na face da geleira. Deve ter sido exaustivo. Deve ter parecido impossível.

Comparado àquilo, isso aqui não era nada.

Call apertou o amuleto com força, tanto que teve a impressão de tê-lo sentido rachar. *Ar*, pensou. Ar ao seu redor, havia ar na água, todos os elementos eram um só, *fogo e terra, ar e água... É tudo uma coisa só, não são quatro, nem duas, nem três, mas uma.*

MAGISTERIUM – A CHAVE DE BRONZE

Ele abriu a boca e respirou.

Foi como respirar um ar úmido e pantanoso. Ele engasgou um pouco, deixando o corpo boiar para o alto enquanto o ar preenchia os seus pulmões. A segunda vez que puxou o ar foi mais fácil, e na terceira e na quarta ele estava respirando normalmente. Estava em pé, no fundo do lago, respirando normalmente. Muito contente, Call jogou o amuleto de lado e começou a emergir até romper a superfície com um grito.

— Consegui! — gritou. — Respirei embaixo da água!

— Eu sei! — disse Tamara, jogando água. — Eu vi!

— Uhul! — disse Aaron. Ele socou a superfície do lago, fazendo-a esguichar para cima. — Você é incrível!

— Alô, *todos* nós somos! — protestou Tamara. Call nadava em círculos, mergulhando para respirar e voltando à tona. Ele esguichou água e sorriu.

Às vezes a mágica era realmente tão incrível quanto ele secretamente torcia para que fosse.

↑≈△○◉

Naquela noite, Tamara, Call, Aaron e Jasper eram as únicas pessoas na biblioteca. Os quatro reuniam-se em torno de uma mesa onde uma luz brilhava em um abajur cuja cúpula era a concha de uma lesma marinha enorme. Mantiveram as vozes baixas; o som tendia a ecoar naquela grande sala de pedra.

— Então a questão é saber se a pessoa que tentou matar Call na cerimônia é alguém que estaria no Magisterium — disse Tamara, mexendo em alguns papéis. — Fiz uma lista de todas as pessoas que estudam ou dão aula aqui, assim como membros da Assembleia que têm trânsito livre.

Jasper se inclinou para frente para olhar a lista.

— Você não está nela — disse ele.

— Lógico que não! — Tamara ficou vermelha. — Eu não tentei matar Call.

— Kimiya também não está — disse Jasper. — Nem Aaron.

— Porque eles não estão tentando me matar — disse Call.

— Você não tem como saber — disse Jasper. — A lista deve ser objetiva. Eu também tenho que estar nela.

— Você está — disse Tamara. — Pode acreditar.

Jasper fez uma careta.

— Ótimo.

— Vejam, eu sei que nos metermos onde não somos chamados é a nossa marca registrada — disse Call, interrompendo os amigos. — Mas que tal se dessa vez a gente não tentasse pegar o espião por contra própria? O Mestre Rufus disse que eles têm um plano, a madrasta do Alex está aqui para preparar uma armadilha. Talvez a gente possa deixar isso por conta deles.

Todos encararam Call como se ele tivesse duas cabeças. Finalmente Aaron se manifestou.

— Você bebeu muita água do lago hoje ou coisa do tipo? Você jamais diria uma coisa dessas se fosse um de nós correndo perigo.

— Pense desta forma — disse Jasper. — Se a mesma pessoa que soltou o Automotones tentou derrubar o lustre em você, então qualquer pessoa ao seu lado tem tanta probabilidade de ser assassinada quanto você. Então, pelo meu próprio bem, eu quero investigar.

Call não tinha como argumentar contra uma lógica dessas.

— Estive pensando — disse Tamara. — Precisamos descer nos túneis onde os grandes elementais ficam. Talvez a gente consiga descobrir quem teve acesso ao Automotones e como. Podemos usar essa lista para ver se alguma dessas pessoas esteve lá em baixo; deve haver algum registro de visitantes ou de pessoas autorizadas a entrar.

— Mas será que os magos já não fizeram isso? — perguntou Aaron.

Tamara deu de ombros.

— Mesmo que tenham, eles não vão dar os nomes. Os túneis são um bom lugar para começarmos a reduzir nossa lista de suspeitos.

— Acho que alguém passou as férias lendo livros de mistério — comentou Jasper.

Tamara ofereceu a ele um sorriso cheio de dentes.

— Acho que alguém vai levar um soco na cara.

— Você tem uma ideia melhor? — perguntou Aaron. — Porque se não tiver, não critique.

— E se Call se fizer de isca? — sugeriu Jasper. — Quer dizer, por que termos todo esse trabalho quando podemos fazer o assassino vir até nós? É só espalharmos que Call vai estar em algum lugar afastado, sozinho, e depois, quando o assassino aparecer para acabar com ele, a gente ataca e...

— Ei, calma aí — disse Call. — Essa ideia é idiota.

— Achei que não fosse para criticar — disse Jasper, sorrindo de satisfação. — Acho que não tem como um plano desses dar errado.

Tamara balançou a cabeça.

— Call pode acabar morrendo!

— Ainda assim pegaríamos o espião — respondeu Jasper, depois fez uma careta após levar um chute violento por baixo da mesa. — Quê? Não são muitos planos que vêm com essa garantia embutida!

— Vamos tentar a estratégia da Tamara primeiro — disse Aaron, que logo depois bocejou e ficou de pé. — Amanhã, depois da aula, a gente se encontra aqui de novo. Podemos olhar os mapas do Magisterium para ver se conseguimos descobrir onde ficam os elementais. Eu fico com o primeiro turno hoje à noite. Tamara, Call, vocês dois podem dormir.

— Então até mais, babacas — disse Jasper que foi embora pela escada em espiral, subindo dois degraus por vez.

Call queria protestar, dizer que era desnecessário que um deles ficasse acordado vigiando, mas ninguém ia dar ouvidos. Ele se levantou com um suspiro e seguiu Tamara e Aaron de volta para os respectivos quartos.

Mas, no meio do caminho, uma ideia súbita o fez parar.

— Eu sei quem teria acesso a esses elementais! — disse Call. — Warren!

No fim das contas, o pequeno lagarto era um elemental do fogo e, apesar de não ser totalmente confiável, ele conhecia as dependências do Magisterium melhor do que qualquer um ou qualquer coisa. Ele já tinha guiado o grupo pelos labirintos antes — é bem verdade que isso os havia colocado no radar de um elemental mais poderoso e sinistro —, mas ainda assim, nada de *tão* ruim aconteceu.

Além disso, no ano anterior eles haviam salvado a vida de Warren. Na ocasião, o Mestre Rufus preparou um teste para a magia do caos em que Aaron deveria mandar o lagarto para o vazio. Call não sabia ao certo o que acontecia com coisas que eram sugadas para o nada, mas tinha certeza de que não sobreviveriam. Ele tinha ajudado Aaron a fazer algumas mágicas complexas para que o lagarto pudesse escapar. Até onde Call sabia, Warren *estava em dívida* com eles.

— Vamos — disse ele, dando meia-volta no meio do corredor. — Por aqui.

Quanto mais tempo o espião estivesse entre eles, mais tempo os amigos ficariam na cola de Call como se houvesse algo de errado. Ele detestava isso. Não queria que ficassem acordados enquanto ele dormia. Não queria que corressem perigo. Se havia algo a ser feito, ele queria fazer agora.

— Aonde vamos? — Tamara protestou quando viu que iriam voltar pelo caminho percorrido. — Voltar para a biblioteca?

O corredor se dividia em dois. Call foi para a esquerda. Ele se lembrou de como achou que jamais fosse aprender a se localizar nos túneis quando chegou ao Magisterium, com seus corredores que pareciam labirintos passando por baixo e através da montanha. Mas ele aprendeu, e agora caminhar pelos andares superiores do Magisterium era tão familiar quanto andar pelas ruas da cidade onde morava.

— Vamos para o rio? — perguntou Aaron meio que sussurrando. O ar nos túneis começava a ficar mais úmido. Passaram pelos quartos de vários outros grupos de aprendizes, nenhuma luz saindo pela fresta embaixo de cada porta. O Magisterium dormia.

Os rios que corriam pela escola eram seu sistema vascular. Levavam alunos das salas para os portões da área externa, para o refeitório e de volta aos quartos. Pequenos barcos trafegavam por esse sistema, guiados por mágica e assistidos por elementais da água. Na medida em que Call, Aaron e Tamara se aproximaram da água, a caverna se tornou mais fria e Call pôde ouvir o ruído da correnteza.

Aaron e Tamara murmuravam a respeito de Call estar levando-os até um barco. O corredor se abriu em uma praia de pedras subterrânea. Lodo fosforescente se agarrava às paredes e ao teto, iluminando o espaço. Peixes cegos nadavam.

— Warren! — chamou Call. — *Warren!*

Aaron e Tamara trocaram um olhar. Estava nítido que achavam que Call tinha enlouquecido.

— Talvez ele precise dormir — disse Tamara.

— Talvez precise comer — disse Aaron.

— Warren! — Call gritou novamente. — *O fim está mais próximo do que imagina!*

— Lagartos não vêm quando a gente chama — disse Tamara. — Vamos sair daqui, Call...

Alguma coisa se mexeu das pedras acima deles. Então um vislumbre de fogo, uma luz refletindo em algo escamoso. Olhos vermelhos brilharam no escuro. O que parecia um dragão de Komodo minúsculo, com uma barba e uma crista de fogo nas costas, se arrastou na direção deles pelas pedras.

— Warren? — disse Call.

— Ele realmente veio — Aaron pareceu impressionado. — Incrível, Call.

— Sorrateiros. — Warren parecia irritado. — Sorrateiros e incomodando Warren. O que vocês querem, estudantes magos?

— Queremos que nos leve aos elementais adormecidos. Os que são presos pelo Magisterium — respondeu Call.

— Agora? — perguntou Tamara, virando para Call. — Achei que a gente estivesse indo dormir!

— Sim, dormir. Andar furtivamente por aí perigoso — disse Warren. — Túneis muito profundos.

MAGISTERIUM – A CHAVE DE BRONZE

— Você está em dívida com a gente, Warren — disse Call. — Salvamos a sua vida. Não se lembra?

— Já paguei — murmurou Warren. — Avisei. *Ultima Forsan.*

— Isso não ajuda em nada — disse Call. Ele sabia o que *Ultima Forsan* era: a frase em latim gravada no jazigo perpétuo do Inimigo da Morte. Significava *O fim está mais próximo do que imagina.* Call só não conseguia entender como isso poderia ser um alerta útil. — Nos levar até os elementais é o que ajudaria.

— Talvez você não saiba como chegar lá — disse Aaron, provocando o lagarto. Apesar de ter sido ele quem bocejou de sono na biblioteca, agora estava com os olhos brilhando e não parecia nem um pouco cansado. Aaron não era do tipo que gostava de falar sobre fazer coisas, mas sim de fazê-las. — O problema é esse? No fim das contas talvez você não saiba tanto assim sobre o Magisterium.

Os olhos vermelhos de Warren moveram-se rapidamente.

— Eu sei — disse ele. — Sei tudo. Mas isso é perigoso, pequenos estudantes de magos. Assunto perigoso. Posso levar vocês, mas vão ter que enganar a guardiã.

— A guardiã? — perguntou Tamara, apavorada.

Call também gostaria de maiores elucidações, mas Warren, aparentemente decidindo que sua participação na conversa tinha acabado, pulou para a parede de mica brilhante e correu para cima, antes de disparar na direção da entrada da outra caverna.

— Sigam aquele lagarto! — anunciou Call, indo atrás dele.

Tamara resmungou, mas foi atrás.

Ele tinha se esquecido que se deixar guiar por Warren pelas cavernas do Magisterium — inclusive por algumas passagens que talvez jamais tivessem sido usadas por nenhum mago antes deles — era um exercício frustrante e por vezes assustador. O lagarto

Holly Black & Cassandra Clare

os conduziu por penhascos naturais e por lagos que pareciam ser de lama fervente. Warren os guiou por recintos nos quais quase engasgaram com o cheiro de enxofre e nos quais tinham que se encolher e desviar para não serem arranhados por estalactites pontiagudas.

Call não sabia ao certo o quanto tinham andado quando sua perna começou a doer — o tipo de dor muscular violenta que só ia piorar. Ele se sentiu idiota por sugerir que fizessem isso, por pensar que poderia andar tanto. Mas não podia pedir que Warren parasse — o lagarto estava muito adiantado em relação a eles, pulando de rocha em rocha, os cristais brilhando em suas costas.

E se Tamara e Aaron parassem para esperá-lo, Warren podia disparar, deixando o grupo perdido nas cavernas. Isso já tinha acontecido antes.

A título de teste, Call invocou magia do ar, empurrando de leve. Ele se lembrou de como Alastair o levou pelos muitos degraus do Collegium. Ele se lembrou de como havia descido sozinho. Tudo que tinha de fazer era se concentrar e *empurrar*.

Call levitou, rápido o suficiente para ter que morder o lado da bochecha a fim de evitar um grito, mas logo conseguiu se estabilizar. Estava flutuando só um pouco acima do solo e não tinha nenhum peso na perna. Sentiu-se ótimo.

Call foi então propelindo o corpo com o poder da mente, sem tropeçar mais como Aaron e Tamara. Deslizava sobre a terra como se tivesse sido feito para andar assim. Ao prosseguirem, as passagens se aprofundavam na montanha, as paredes tornavam mais lisas e o chão, mais lustroso. Era como se percorressem o corredor de um museu. As portas na pedra de cada lado eram elegantes, decoradas com símbolos alquímicos e alfabetos que Call não conhecia.

Finalmente, Warren parou diante de uma porta imensa feita com os cinco metais do Magisterium — ferro, cobre, bronze, prata e ouro.

— Aqui, estudantes de magos. Aqui está a porta no caminho do caminho. A guardiã está aqui. Vocês devem enfrentá-la para seguir adiante.

— O que a gente faz?

— Respondam os enigmas — disse Warren, que esticou a língua para capturar um inseto que Call não tinha visto até então e correu pelo teto. — Enigmatizem as respostas dela! — gritou ele antes de desaparecer.

— Droga — disse Aaron. — Isso sempre acontece. Odeio enigmas.

Tamara parecia engolir as palavras *eu sabia* e detestar o gosto delas.

— A gente simplesmente bate? — Call levantou a mão fechada em punho e hesitou.

— Eu bato — Tamara bateu à porta. — Olá? Somos alunos e viemos fazer um projeto...

A porta abriu. Lá dentro, com um terno branco absolutamente intocado, estava Anastasia Tarquin. Sua nuvem de cabelo prateado estava penteada para trás com firmeza e os brincos de prata em suas orelhas pareciam ter sido enfeitiçados para brilhar daquela forma. Suas sobrancelhas feitas se ergueram ao ver o grupo, e a boca comprimiu-se em uma linha fina.

— *Você* é a guardiã? — perguntou Aaron, incrédulo.

— Não sei do que você está falando — disse ela, abrindo mais a porta. Atrás dela, dava para ver um longo corredor que descia. Dois meninos com idade de frequentar o Collegium, uniformizados, estavam junto às paredes. *Guardas*, Call pensou. — O que eu sei é que vocês não deveriam estar aqui.

— O Mestre Rufus quer que comecemos um projeto — disse Call. — Como Tamara disse. É nosso Ano de Bronze e temos que começar a decidir sobre o nosso futuro e responsabilidades. Como estamos pensando em nos especializar em elementais pensamos em, hum, conhecer alguns.

— Os três? — perguntou Anastasia. — Inclusive os dois mágicos do caos? *Todos* querem se especializar em elementais?

— Estamos pensando. — Aaron respondeu rapidamente. — Não queremos nos precipitar, mas é interessante. Achamos que se pudéssemos ver alguns dos melhores elementais, poderíamos ter certeza do que queremos.

Anastasia Tarquin não pareceu acreditar nem um pouco.

— Temo informar que, apesar de alguns alunos terem sido autorizados a entrar, embora com baixíssima frequência, esse privilégio foi suspenso por motivos que imagino que conheçam.

Automotones. Call se lembrou do enorme monstro de metal vindo para cima deles, rasgando o ar como fogo e garras.

— Agora — disse Anastasia —, a não ser que queiram que eu discuta a questão com Mestre Rufus, sugiro que voltem pelo caminho que vieram, e vamos todos fingir que não nos vimos.

Call olhou de Tamara para Aaron.

— E nada de enigmas — suspirou Aaron. Em seguida, sempre educado, ele virou para Anastasia Tarquin. — Sentimos muito pelo incômodo.

Ela, no entanto, não parecia particularmente encantada por ele. Seus olhos não perderam a rigidez usual.

— Só um instante — disse ela, mas não estava olhando para Aaron. — Callum Hunt. Entre. Gostaria de falar com você. A sós.

— Comigo? — perguntou Call, com a voz levemente esganiça-da. Ele não esperava por isso, e com toda a questão do espião, não sabia se queria ficar sozinho com qualquer membro da Assembleia. Mas Anastasia era madrasta de Alex e tinha sido enviada pela Assembleia para protegê-lo. — Tudo bem.

Tamara e Aaron olharam em silêncio para ele. Call tinha toda certeza de que os dois não iriam querer trocar de lugar com ele naquele momento.

Ele passou pela porta que logo em seguida Anastasia fechou com uma batida pesada.

Ela colocou uma das mãos no ombro de Call.

— Você deve estar muito preocupado para vir até aqui procu-rando respostas — disse ela, sua voz suavizando de um jeito que o deixou nervoso. Call pensou em como as cobras que ele via na tele-visão faziam uma pequena dança antes de atacarem.

— E eu sei o quanto você é próximo de Aaron. Vocês cuidam um do outro, não é?

— Sim? Quer dizer, sim. Aaron, Tamara e eu. Todos nós.

— É muito bom ter amigos próximos — disse Anastasia, as-sentindo. — Principalmente quando se tem um pai que não aprova magia.

— Meu pai está começando a ceder — disse Call, tentando adivinhar qual era o assunto.

— Quando me casei com o pai de Alex, jurei que jamais tenta-ria substituir a mãe dele. Eu tinha meus filhos do primeiro casa-mento e sabia o quanto era importante não tentar me impor onde não me queriam. Tentei ser amiga, guia, mentora. Alguém que pu-desse responder as perguntas dele objetivamente, como muitos adultos não fazem. Eu ficaria feliz em fazer o mesmo por você, se algum dia precisar conversar com alguém.

— Hum, tudo bem — disse Call, confuso com toda aquela conversa. Ele tentou olhar um pouco além de Anastasia, ver o que havia escondido atrás dela. Os dois guardas do Collegium estavam completamente mudos, encostados às paredes da sala como armaduras. Havia um jornal em cima de um sofá, provavelmente onde ela estivera sentada, e um corredor que se estendia atrás. Um brilho vermelho profundo iluminava as paredes. — Então, definitivamente não vai nos deixar entrar?

Anastasia pareceu entretida em vez de irritada.

— Você quer que eu diga que deixaria se pudesse, imagino. Mas você não faz ideia do quão perigosos são os grandes elementais. Seria quase o mesmo que jogá-lo na boca de um vulcão. Um amigo jamais o colocaria em perigo, Callum, você entende?

— Porque eu sou um Makar — disse Call. — Eu entendo, mas...

— Sem "mas". — Anastasia balançou a cabeça. — Você e Aaron deveriam voltar para dormir. São importantes demais para se arriscarem. Tente se lembrar disto.

Com isso, ela abriu a porta. Quando Call saiu para onde Aaron e Tamara o aguardavam, ouviu a porta bater atrás de si.

CAPÍTULO SETE

— Vocês foram sem mim? — perguntou Jasper, espetando a sobremesa cinza com o garfo.

Era o turno da tarde. Call, Tamara e Aaron dormiram e perderam o café da manhã após a aventura nos túneis na noite anterior. Call sentiu dor e tontura durante a aula e tinha quase jogado uma bola de fogo na cabeça de Tamara e queimado os próprios dedos. Tinha se esquecido de passear com Devastação até a metade da aula e teve que limpar a bagunça que resultou disso. Voltar à escola não estava sendo tão fácil quanto ele tinha imaginado.

— Foi coisa de momento — disse Call em tom conciliatório. Então se lembrou de com quem estava falando. — Quer dizer, não que eu fosse optar por levar você a qualquer lugar que fosse, mas, neste caso, deixar você de lado foi apenas um efeito colateral benéfico.

Holly Black & Cassandra Clare

— Ei — disse Jasper. — Estou tentando salvar sua vida!

— Não ligue para ele — interrompeu Aaron. — Ele fica irritadiço quando está cansado.

— Então o que Anastasia fez com você? — perguntou Jasper.

— Meu pai sempre disse que ela é uma espécie de rainha de gelo com o coração de pedra.

— Ela foi muito gentil com Call — disse Tamara. — Foi estranho. Ela não me deu a menor bola e mal olhou para Aaron. Foi só Call, Call, Call.

— Acho que sou o Makar-novidade e você o Makar-não-tão--novidade-assim — desse Call a Aaron. — Eu faço esse uniforme azul parecer *lindo*.

Tamara riu. Aaron suspirou, resignado.

— Uau — disse Jasper, olhando para Call com olhos arregalados. — Você não me disse que ele delirava quando estava cansado.

Call tomou um grande gole da substância marrom que parecia chá em sua caneca de madeira. Torceu desesperadamente para que tivesse cafeína. Ao longo das férias ele pôde tomar quantos cafés ele quis — Alastair tinha consertado uma máquina antiga que chiava feito um trem —, mas agora, quando ele realmente precisava, não havia café em lugar nenhum.

Ele estava cansado. Cansado de ser vigiado pelos amigos, mesmo que eles só quisessem mantê-lo em segurança. Cansado de ter essa coisa horrível a seu respeito — algo que não podia controlar — pairando sobre si o tempo todo. Ele queria frequentar a escola como uma pessoa normal e, naquele momento, estava disposto a tudo para fazer isso acontecer.

— Certo — disse ele. — Vamos seguir esse seu plano idiota.

— Quê? — perguntou Jasper, franzindo a testa para ele. — Que plano idiota?

Call fez uma breve careta, subiu na cadeira, e da cadeira para a mesa. Por pouco seu pé não aterrissou bem na sobremesa cinza de Jasper. Call examinou o recinto.

— Ah, não — disse Aaron. — Acho que você estava certo sobre ele estar delirando de cansaço.

Vários alunos riam e conversavam uns com os outros. Magos comiam líquen. Até que Rafe viu Call em cima da mesa. Ele soltou um gritinho e cutucou Gwenda, que estava ao seu lado. Um murmúrio percorreu o recinto e logo todos estavam olhando para Call, apontando e sussurrando.

— Call! — Tamara sibilou em um sussurro. — Desce daí!

Call não estava nem aí.

— ADIVINHEM SÓ — gritou ele, a voz alta o suficiente para alcançar todo o refeitório. — ESTAREI NA BIBLIOTECA HOJE À MEIA-NOITE. SOZINHO.

Voltou a sentar. Tamara, Aaron e Jasper olharam para ele. Outros aprendizes olhavam para a mesa deles. Gwenda sussurrou alguma coisa ao ouvido de Celia e as duas começaram a rir. Alex Strike estava com uma expressão estranha e preocupada no rosto. Mestra Milagros olhava para Call como se alguém tivesse deixado ele cair de cabeça quando era pequeno.

— Isso... Isso... O que foi isso? — perguntou Tamara. — Você ficou maluco?

— Ele estava se transformando em isca — disse Aaron, olhando para Call com uma expressão séria. — Espero que tenha sido uma boa ideia. A desvantagem de avisar a todos que você estará sozinho para que possam atacá-lo é que todos saberão que estará sozinho para ser atacado.

— Pfff — disse Tamara. — Ninguém vai ser burro o suficiente para ir atrás dele por causa dessa declaração pública. Qualquer um seria pego imediatamente.

Call deu de ombros deu uma boa mordida no líquen. Sentia-se estranhamente melhor. As coisas estavam de volta aos devidos lugares — seus amigos o achavam louco, e ele estava prestes a fazer uma tolice. Um sorriso se formou no canto de sua boca.

— Alguém tem que sedar esse cara depressa — disse Jasper. — Sabe-se lá o que ele vai fazer em seguida.

Mas, ou o líquido marrom de Call tinha cafeína ou ter algo a fazer ajudou, porque estava cheio de energia correndo nas veias. Não estava mais cansado. Estava pronto.

$$\uparrow \approx \triangle \bigcirc \circledcirc$$

Call meio que esperava encontrar um grupo de curiosos quando chegou à biblioteca naquela noite, mas o lugar estava vazio. Tamara, Aaron e Jasper fizeram uma varredura, olhando atrás de prateleiras, enquanto Devastação farejava embaixo das mesas. Estava definitivamente deserto.

Call se sentou à uma das mesas, iluminada por uma enorme estalactite que tinha atravessado o centro do tampo de madeira, prendendo a mesa ao chão. Luz girava e brilhava dentro da estalactite.

— Certo — disse Tamara, voltando do andar superior da biblioteca em espiral. — Você está por conta própria.

Aaron colocou a mão no ombro de Call.

MAGISTERIUM – A CHAVE DE BRONZE

— Não se esqueça, Call — disse ele. — Se precisar fazer alguma magia do caos, não tente fazer sozinho. Eu sou seu contrapeso. Estarei ali fora com os outros. Puxa de mim, da minha energia do caos, como puxaria o ar se estivesse embaixo da água.

Call assentiu quando Aaron o soltou e agarrou o pelo de Devastação. Seus olhos verde-escuros estavam preocupados.

— Tente não fazer nenhuma idiotice — disse Jasper. No quesito manifestações de apoio, essa não era uma das piores de Jasper. — Aqui, tente fingir que está lendo alguma coisa em vez de ficar aqui sozinho feito um maluco. — Ele colocou uma porção de livros sobre a mesa na frente de Call e virou para sair.

Call observou enquanto seus amigos saíam do recinto. Um instante depois ele estava sozinho na biblioteca. *Puxa de mim*, Aaron tinha dito. Mas a verdade era que Call ainda tinha medo de usar Aaron como contrapeso. Foi isso o que transformou Constantine no Inimigo da Morte. Todos os magos do caos tinham que ter um contrapeso que fosse um ser humano, uma alma viva que os ancorasse ao mundo real e os impedisse de cair no caos. O de Constantine era seu irmão gêmeo, Jericho. Até que um dia sua mágica saiu do controle. Ele foi dominado e puxou a magia do irmão para tentar se ancorar, mas foi em vão. Tudo que conseguiu foi destruir Jericho.

Call não conseguia imaginar como seria isso, matar acidentalmente alguém que amava. *Mas eu* deveria *saber como é*, pensou. Afinal de contas, isso tinha acontecido com uma alma que agora o habitava e certamente esse tipo de coisa devia deixar marcas. Mas Call não sentia nada quando pensava no assunto, só se preocupava com a possibilidade de cometer o mesmo erro.

Talvez isso fosse prova do que havia de errado com ele. Ele deveria estar com pena de Jericho, que tinha morrido. Mas tinha pena de Constantine.

— Call?

Ele quase saltou para fora do corpo. Ao virar, viu que alguém tinha entrado na biblioteca. Uma loura vestindo jeans e camiseta e com o cabelo preso em dois rabos. Estava com as mãos enfiadas de um jeito meio esquisito nos bolsos traseiros da calça.

— Call? — disse Celia novamente. Ela deu mais um passo, mais para perto dele. Estava vermelha de vergonha, o que imediatamente fez Call enrubescer também, como se fosse algo contagioso como catapora. — Você disse que ia ficar sozinho aqui, então pensei...

— Hum?

No que Celia tinha pensado? Que talvez Call tivesse ficado maluco e precisasse ler levado para a Enfermaria?

— Achei que talvez quisesse falar comigo — disse ela, se empoleirando em uma mesa em frente a ele. — É difícil conversar a sós em qualquer lugar... O refeitório vive cheio, a Galeria também, e não tenho visto você passeando com Devastação ultimamente...

Era verdade. No último ano, durante uma época, Call e Celia passeavam toda noite com Devastação. Mas agora ele não podia mais sair sozinho com o lobo. Tamara e Jasper alternavam-se para acompanhar Call nesses passeios.

— É, eu ando... — A voz de Call falhou. Ele ficou imaginando se seria possível ter uma conversa inteira com frases interrompidas. Se sim, ele e Celia estavam prestes dar um exemplo marcante.

— Onde arrumou? — perguntou Celia, rindo de repente. Call olhou para baixo e percebeu que ela apontava para os livros sobre a mesa.

Elementos de Fogo e Feitiços, uma Cartilha.
A Alquimia do Amor.

Magia da Água e Feitiços de Compromisso: Como Fazê-la Dizer Sim.

Ele ia *matar* Jasper.

— Eu... bem, eu estava só... é para um trabalho — disse Call.

Celia apoiou os cotovelos nos joelhos e olhou para ele, pensativa.

— Se quer me chamar para sair, Call, é só falar — disse ela. — Estamos no terceiro ano agora, e gosto de você desde o Ano de Ferro.

— *Jura?* — Call estava impressionado.

Ela sorriu com hesitação.

— Você não sabia? Todas aquelas vezes em que levamos Devastação para passear. E o beijo. Achei que você soubesse, mas a Gwenda me disse que eu devia te contar, então aqui estou.

— Ela falou que você devia me contar? — Call se sentiu muito burro por repetir o que Celia dizia, mas sua cabeça tinha ficado completamente vazia. Será que ele tinha que agradecê-la, como se gostar dele fosse um elogio? Não parecia certo. Ele provavelmente deveria dizer que gostava dela também, e ele realmente gostava, mas contar a ela significaria o quê? Que iriam namorar? Teriam que se beijar? Significaria que não poderiam mais passear com Devastação juntos e se divertir?

Quando Call abriu a boca para dizer alguma coisa — apesar de não saber ao certo o que — Tamara e Jasper vieram subiram a escada correndo. Aaron e Devastação vieram do alto. O lobo Dominado pelo Caos começou a latir. Aaron parecia pronto para briga.

— Pare aí mesmo! — gritou Jasper. Fogo acendeu na palma de Tamara.

Celia girou, com olhos arregalados.

Holly Black & Cassandra Clare

A chama se apagou subitamente. Tamara fechou as duas mãos atrás das costas.

— Ah, oi — disse ela com uma risada constrangida e ligeiramente histérica. — Estávamos só...

— O que *você* está fazendo aqui? — perguntou Aaron. Um pouco da luz da luta ainda brilhava em seus olhos e ele não soava gentil como sempre. Devem ter ficado muito surpresos quando viram que Call não estava sozinho; surpresos e assustados.

— Call estava prestes a me chamar para sair — disse Celia, confusa e visivelmente chateada. — Ou ao menos eu achei que estivesse. O que todos vocês estão fazendo aqui? Por que está todo mundo gritando?

Por um longo instante todos ficaram quietos. Call não fazia ideia de como explicar isso para ela. *Talvez eu devesse simplesmente falar a verdade*, pensou. *Ao menos parcialmente*. Ele não precisava falar sobre a questão do Capitão Cara de Peixe. Mas Call logo percebeu que nada faria sentido se não mencionasse o Capitão Cara de Peixe. Mesmo assim, ele precisava falar alguma coisa. Celia ainda era sua amiga.

— A questão é que tem alguém tentando... — Call começou, seu corpo inteiro ficando vermelho e quente de vergonha. Ele tinha certeza de que ia falar alguma coisa idiota e que Tamara começaria a rir da cara dele. Ele tinha certeza de que Celia não ia entender.

— Eu vim para te convidar para sair comigo — disse Jasper subitamente em voz alta, interrompendo a explicação de Call. — Por isso eu disse "pare aí mesmo". Porque, hum, eu queria impedir que ele te convidasse para sair antes que eu tivesse chance. Não saia com ele! Saia comigo.

MAGISTERIUM – A CHAVE DE BRONZE

As sobrancelhas de Aaron se ergueram. Tamara emitiu um ruído engasgado. Call não conseguia acreditar no que estava ouvindo.

Celia olhou surpresa para Jasper.

— Você gosta de mim?

— Gosto! — disse ele, um pouco afobado. — Definitivamente gosto de você.

Call lembrou que quando Jasper perguntou se ele gostava de Celia, quando disse que talvez quisesse convidá-la para sair. Ele queria mesmo? Ou só estava tentando despistá-la do que realmente estava acontecendo? Ou será que estava tentando irritar Call? A última hipótese parecia a mais provável.

Ansiosa, Celia desviou o olhar para Call, como se ele devesse falar ou fazer alguma coisa. Ele retribuiu o olhar com total espanto.

Finalmente, ela suspirou e virou para Jasper.

— Eu adoraria sair com você.

↑≈△○◎

— Bem, acho que todos podemos concordar que isso foi uma roubada total — disse Aaron enquanto voltavam para os quartos.

— Não para Jasper — disse Tamara, que, para irritação de Call, parecia achar tudo aquilo um pouco engraçado. Muito engraçado, na verdade. Ela quase explodiu tentando segurar o riso depois que Celia concordou sair com Jasper. Call não sabia quem parecia mais confuso, ele ou Jasper. No entanto, Jasper logo se recuperou e começou a falar a Celia sobre como iriam se divertir na Galeria.

Àquela altura, Call já tinha desistido. Saiu da biblioteca. Aaron, Tamara e Devastação foram atrás.

Tamara dançava com Devastação, fazendo-o pular para colocar as patas em seus ombros.

— Este vai ser o melhor encontro do mundo — disse ela. — Jasper não sabe nada sobre meninas. Provavelmente ele vai dar um buquê de peixes cegos pra ela.

— Não vai ser o melhor encontro do mundo! — Call se irritou. — Jasper está fazendo isso só para me *irritar*. Provavelmente ele vai ser péssimo com ela. Vai acabar magoando Celia e vai ser tudo minha culpa.

— Ah, Call, pelo amor de Deus. — Tamara bufou. — Ele não vai ser péssimo com Celia. Nem tudo gira ao seu redor.

— *Isso* gira — disse Call.

— Talvez não. — Havia um tom determinado na voz de Tamara. — Talvez ele goste dela.

— Acho que vocês dois estão perdendo o foco aqui — disse Aaron ao dobrarem uma esquina no ponto em que o corredor ficava mais estreito. — E se Celia for a assassina?

— *Quê?* —perguntou Call.

— Bem, ela foi até lá quando soube que você ia estar sozinho na biblioteca — Aaron observou.

— Para ver se eu ia chamá-la para sair — disse Call.

— Essa é a história que ela contou. Aposto que ela blefou quando percebeu alguma coisa errada ao chegar.

— Por que Celia iria querer matar Call? — perguntou Tamara. Eles tinham chegado ao corredor dos quartos, e ela usou a pulseira para abrir a porta. Entraram na sala compartilhada, que estava na penumbra. Devastação rapidamente saltou no sofá e se espreguiçou com vontade, pronto para dormir.

— É — disse Call. — Por que ela iria querer me matar?

MAGISTERIUM – A CHAVE DE BRONZE

— Pode ser que ela esteja à serviço de alguma organização — respondeu Aaron, teimoso. — Gente, Drew tinha uma história totalmente falsa. Ele não era quem dizia ser. Além disso, o Mestre Rufus disse que há um espião entre nós. Pode ser ela.

Call balançou a cabeça, retirando Miri do cinto e colocando a faca sobre a mesa da cozinha.

— Celia vem de uma família tradicional de magos. Ela é quem diz ser.

— Como você sabe? — insistiu Aaron. — Só porque ela contou sobre alguma tia não quer dizer que isso seja verdade. Ou talvez toda a família dela apoie o Inimigo. Lembra que você achou que o bilhete era dela? E se *fosse* mesmo? Seria uma explicação mais simples do que qualquer outra. Além do mais, se dá para perceber que ela é uma espiã, não é das melhores, né?

— Você pode acusar Devastação de ser espião também, que tal? — disse Call. Todos olharam para Devastação, que dormia com a língua pendurada até o chão. As patas balançavam como se ele estivesse indo atrás de um pato imaginário.

— Não estou dizendo que a gente deva arrastar Celia e colocá-la na frente da Assembleia imediatamente — disse Aaron. — Só acho que devemos ficar de olho. Aliás, temos que ficar de olho em qualquer pessoa se comportando de maneira esquisita.

— Querer que Call a convide para sair não é *esquisito* — disse Tamara, esfregando o estômago de Devastação. — Bem, talvez seja um pouco, mas não é ilegal.

— Obrigado — disse Call. — Obrigado pelo apoio. — Call pegou Miri e foi para o quarto. Quando estava quase entrando, virou para Aaron. — Estou indo dormir.

99

— Eu também. — Aaron cruzou os braços sobre o peito. — Vou dormir no chão do lado de fora do seu quarto. Para o caso de alguma coisa tentar atacar você durante a noite.

Call ficou arrasado.

— Precisa mesmo?

Em resposta, Aaron deitou exatamente onde disse que deitaria, cruzou os braços sobre o peito e fechou os olhos. Devastação deitou ao lado dele.

Traidor, Call pensou. Com um suspiro, entrou no quarto e fechou bem a porta.

O cômodo estava iluminado por uma luz fosforescente fraca. Call tirou as botas e sentou na cama. A perna doía. Sentia-se cansado, desanimado e mais irritado com a questão Celia/Jasper do que imaginava. Viu seu reflexo no espelho do armário. Parecia cansado. O quarto estava cheio de sombras.

Call congelou.

Uma delas se moveu.

CAPÍTULO OITO

Call queria gritar. Ele sabia que *devia* gritar, mas a surpresa e o medo o deixaram sem ar. A sombra se mexeu novamente, desdobrando-se contra a pedra desigual do teto. Ao deslizar mais para perto do lodo fosforescente, Call perdeu a esperança de que fosse apenas um truque da luz.

Era um enorme elemental do ar, veloz como uma chicotada e incorpóreo. Parecia uma enguia imensa vinda da parte mais profunda do oceano — isso se enguias tivessem boca gigante e cheia de dentes em cada lateral do corpo enorme. Movia-se lentamente como o ar úmido e frio que antecede uma tempestade.

— Aaron. — Call tentou gritar, mas sua voz saiu como um suspiro, suave demais para ser ouvida por qualquer um além do elemental. Uma das cabeças da coisa se afastou do teto com um ruído molhado de sucção e lançou-se em direção a Call. Quando a enguia abriu a boca, Call pôde ver que apesar de ser feita de ar, a coisa tinha dentes que pareciam muito reais e muito afiados. A pele em volta da boca era repuxada de modo que a criatura tinha um sorriso perpétuo. Parecia ser capaz de arrancar metade de Call com uma mordida e depois rir disso. Não tinha olhos, apenas entalhes na cabeça.

Miri, ele pensou. A faca que Alastair tinha dado a ele, a que sua mãe fez. Estava em sua cabeceira, a muitos metros de distância. Será que o elemental podia vê-la? Call não tinha como saber. Muito, muito lentamente, ele foi chegando para trás na cama. Esticou o corpo, deitando de um jeito que expunha suas partes mais vulneráveis — o pescoço e a barriga. O elemental se moveu em direção a ele, como se farejasse o ar.

Call engoliu em seco, esticando o braço por cima da cabeça, esticando até seus dedos tocarem a ponta do cabo de Miri.

No outro cômodo, Devastação começou a latir.

O elemental atacou. Um grito explodiu dos pulmões de Call quando ele pegou a lâmina e sentou, atacando às cegas. O imenso peso da criatura o derrubou de volta. O elemental mordeu o ar na tentativa de abocanhar a cabeça de Call que, naquele exato momento, enterrou a adaga sob a mandíbula da criatura. Ele tentou fechar a boca da enguia com a faca, mas, apesar de a lâmina ter cortado mais profundamente sua carne feita de ar, ela se aproximou.

Ao sentir aqueles dentes horríveis e as garras afiadas arranhando suas roupas e cortando sua pele, Call rolou da cama, sentindo o calor do sangue. Ainda não estava doendo, mas ele tinha a sensação de que logo iria doer.

Isso se ele sobrevivesse.

O elemental chicoteou em círculo, rápido como um tornado, e mergulhou mais uma vez em direção a Call no instante em que o

Makar saltou para a porta. Dava para ouvir Devastação latindo sem parar do outro lado, e a voz confusa e sonolenta de Aaron.

— O que está acontecendo? O que houve, garotão?

Call se jogou contra a porta. Não abriu.

— Aaron! — gritou, encontrando a própria voz. — Aaron, tem um elemental aqui dentro! Abra a porta!

— Call? — Aaron soou desesperado. A maçaneta mexeu e a porta sacudiu no quadro, mas não cedeu.

— Está cheia de feitiços de tranca! — gritou Aaron. — Call, saia do caminho! *Para trás*!

Aaron não precisou dizer duas vezes. Call se jogou para longe da porta e rolou contra o armário, abrindo-o quando o elemental mergulhou. A criatura bateu na porta do armário, farpas de madeira voando em todas as direções. Call só teve tempo de pular e se esconder embaixo da cama quando o elemental avançou de novo. Call saiu pelo outro lado, o elemental formando um redemoinho sobre ele. Uma de suas cabeças se lançou contra a cama, mas a outra recuou, sibilando, nitidamente prestes a atacar.

Bem no momento em que Call ergueu Miri, houve uma explosão abafada junto à porta. Isso atraiu a atenção do elemental, que abriu a boca em um gesto grotesco de surpresa. A escuridão consumia as quinas da porta, mas não só isso.

Caos.

Call sentiu o puxão sob as costelas e percebeu o que estava acontecendo. Aaron estava usando seu poder do caos, fazendo Call de contrapeso. Call ficou parado quando a porta começou a ruir.

E então desapareceu, tragada pelo vazio. Aaron entrou no quarto à toda, os olhos arregalados.

— *Makar!* — gritou ele, com a própria mão ainda erguida em invocação, uma luz preta queimando ao redor. — Use sua magia, idiota!

O elemental chicoteava de um lado para o outro, visivelmente confuso com o súbito aparecimento de Aaron. Call se levantou cambaleando e se esticou em direção ao caos. Sentiu a desmaterialização selvagem do vazio se abrindo em um turbilhão. A escuridão derramou-se pelo quarto.

O elemental gritou, expelindo ar, e se encaminhou para a sala compartilhada pelo buraco onde antes havia a porta. Chicoteou o ombro de Aaron ao passar por ele, deslizando para o quarto de Tamara.

No exato instante em que ela abriu a porta a coisa avançou para a sua garganta.

Tamara se jogou no chão, rolando sob a criatura com mais agilidade do que Call jamais teria em mil anos. Devastação foi na direção dela e avançou no elemental. A coisa girou no ar, suas pernas horrorosas estremecendo, sua mandíbula medonha abrindo-se o suficiente para engolir qualquer um deles de uma só vez.

Aaron acrescentou o seu poder ao de Call. O caos cresceu, e tentáculos de um nada oleoso começaram a entrar sinuosamente no quarto. Algo emergiu da abertura no vazio, cor de fumaça e sob o formato grosseiro de um felino monstruosamente elegante com incontáveis olhos.

Um elemental do caos saltava para dentro do cômodo.

Call emitiu um ruído que veio da garganta. Abrir uma passagem para o caos era uma coisa — invocar um elemental do caos era outra.

O elemental do ar girou, sentindo uma nova ameaça. Então emitiu um ruído grave e correu na direção do elemental do caos, no mesmo instante em que o elemental recém-invocado avançava para ele. Encontraram-se no ar. O elemental do caos mordeu a parte inferior do inimigo e o envolveu em seu corpo, apertando com força.

A porta do cômodo se abriu e Mestre Rufus entrou, seguido por Mestra Milagros.

— Call...! — Rufus começou a gritar. Então viu os elementais flutuando, um enroscado no outro. Pareceu quase fascinado por um instante. Em seguida fez um gesto com a mão no ar e soprou.

Seu sopro se tornou uma onda de choque que varreu as criaturas. O quarto inteiro vibrou. Call caiu no chão quando o elemental do ar estremeceu e explodiu em redemoinhos que giraram como tempestades de areia em miniatura. O elemental do caos se chocou contra a parede, como tinta derramada. Não se recompôs.

— Uau — disse Aaron.

Call ficou de pé, seu coração batia forte. Tamara, usando um pijama azul — agora rasgado no joelho — atravessou o cômodo até ele, colocando a mão em seu braço. Call teve que se segurar para impedir uma súbita vontade de se apoiar nela.

Ele olhou para o próprio peito, para a camisa rasgada e o sangue ainda jorrando. Os machucados não eram fundos, mas ardiam como picadas de abelha.

Aaron estava afagando a cabeça de Devastação, encarando pensativamente o ponto onde o elemental do caos tinha estado.

— Nós ouvimos os gritos — disse Mestra Milagros. — Não achamos que... Vocês estão muito machucados?

— Eu estou bem — disse Call.

Mestre Rufus suspirou, obviamente perturbado. Todos estavam, mas era enervante vê-lo em qualquer outro estado não fosse perfeitamente composto. Call se sentiu bobo. Mestre Rufus tinha dito para não investigarem, mas eles o fizeram assim mesmo. E depois Jasper bolou um plano totalmente ridículo. Como nenhum deles percebeu que ao deixar evidente onde Call estaria, *também* deixariam evidente onde ele não estaria? Qualquer um que quisesse invadir o quarto saberia exatamente o momento certo.

— Aprendizes, sentem-se todos — disse o Mestre Rufus. — Podem me contar exatamente o que aconteceu. E depois decidiremos o que fazer em seguida.

Mestra Milagros foi para perto da porta do corredor.

— Eu vou me certificar de que mais ninguém entre ou saia daqui — disse ela. — Absolutamente ninguém.

Soou um pouco paranoica, mas isso foi reconfortante para Call. Ele também estava se sentindo um pouco assim.

Call foi para o sofá com Tamara e Aaron. Tão logo sentaram, Devastação pulou no colo de Call e começou a lamber seu rosto. Tamara fez questão de explicar que estavam todos na biblioteca, estudando com Jasper, e que depois voltaram para os quartos. Ela não mencionou o que Call tinha feito no refeitório, nem o plano de Jasper. Call ficou grato por isso; já estava se sentindo burro e apavorado o suficiente.

Call explicou que a coisa estava em seu quarto e que a porta tinha sido trancada por um feitiço. Quando começou a falar no assunto, sentiu que as mãos começavam a tremer e as enfiou entre os joelhos para esconder isso de Mestre Rufus e dos amigos.

Depois de ouvir sobre o feitiço de tranca, Mestre Rufus foi até a porta inspecionar o que havia sobrado dela. Considerando que Aaron tinha sumido com quase toda a estrutura, não havia muito o que ver.

Após alguns minutos, ele suspirou.

— Vamos trazer uma equipe de magos aqui. E, caso mais alguma coisa tenha sido alterada, vamos mudá-los para outro quarto. Em caráter permanente. Sei que é tarde, mas preciso que peguem o que estavam usando, e apenas isso. Devolveremos o restante dos pertences de vocês assim que confirmarmos que estão limpos.

— Precisamos mesmo fazer isso? —perguntou Tamara.

Mestre Rufus lançou a ela o seu mais severo olhar.

— Precisamos.

Aaron se levantou.

— Estou pronto, então, eu acho. Não mudei de roupa, nem nada. Nem Call.

Tamara pegou o uniforme no quarto e voltou para a área comum, com o sapato na mão. Call olhou em volta, para os símbolos nas paredes, as pedras brilhantes, a lareira gigante. Aquele era o espaço deles, confortável, familiar. Mas não tinha certeza de que poderia voltar a se deitar na cama e olhar para o teto sem ver a criatura. Call estremeceu. Naquele instante, ele sequer sabia se algum dia conseguiria voltar a dormir.

↑≋△○◉

O quarto para o qual o Mestre Rufus os levou não parecia muito diferente do deles. Call já sabia que a maioria dos aposentos dos alunos eram iguais — dois a cinco quartos agrupados em torno de uma sala compartilhada onde os alunos podiam comer e trabalhar.

Havia quatro quartos no novo espaço. Cada um pegou um, inclusive Devastação, que deitou no chão ao lado da cama de Call e dormiu com os pés para cima. Call checou para se certificar de que seu lobo estava bem e em seguida voltou para a sala. Tamara e Aaron estavam sentados no sofá. Aaron estava com a manga puxada, o braço para fora. Tamara olhava em tom de crítica para o antebraço dele, onde uma grande mancha vermelha era visível.

— É como uma queimadura, mas sem ser uma queimadura — disse ela. — Talvez alguma espécie de reação por ter sido atingido com toda aquela magia do caos?

— Mas ele é um Makar — protestou Call. — Magia do caos não deveria machucar Aaron. Por que você não mostrou o braço para o Mestre Rufus? — Não parecia um machucado grave, mas Call apostava que estava doendo.

Aaron suspirou.

— Não estava a fim de lidar com isso — respondeu Aaron. — Eles vão ficar ainda mais histéricos, nos restringir ainda mais, mas sabem tanto quanto eu a respeito do que está acontecendo. Vão decidir que outra pessoa deve passar vinte e quatro horas de olho em você, mas ninguém vai fazer um trabalho melhor do que o nosso. Além disso, você também não parece estar se importando com o fato de que está sangrando. — Aaron puxou a manga para baixo. — Eu vou tomar banho — disse. — Ainda estou me sentindo um pouco gosmento por aquela coisa ter tocado em mim.

Tamara deu um tchau cansado enquanto Aaron ia para a porta que os levava até as piscinas de banho.

— Tudo bem? — perguntou a Call quando estavam a sós.

— Acho que sim — respondeu ele. — Não entendo muito bem por que estamos mais seguros nesse quarto.

— Porque menos gente sabe que estamos aqui — disse Tamara. A frase foi curta, mas ela não parecia irritada com Call, só um pouco cansada. — O Mestre Rufus deve achar que tem muito pouca gente em quem ele pode confiar. O que significa que qualquer um pode ser o espião. Literalmente qualquer um.

— Anastasia... — disse Call, mas de repente a porta se abriu e Mestre Rufus entrou. Seu rosto sombrio era inexpressivo, mas Call já tinha começado a aprender a ler sinais de tensão na postura do professor, na posição dos ombros. Mestre Rufus estava realmente tenso.

— Call — disse ele. — Posso falar com você um minuto?

Call olhou para Tamara, que deu de ombros.

— Seja lá o que for, pode dizer na frente dela — disse.

Mestre Rufus não pareceu satisfeito.

— Call, não estamos em um filme. Ou me deixa falar a sós com você, ou vão passar a próxima semana peneirando areia.

Tamara soltou uma risada de escárnio.

— Minha deixa para ir deitar. — Então levantou, as tranças escuras balançando, e acenou boa noite para Call antes de desaparecer no quarto.

Mestre Rufus não sentou. Apenas se apoiou na mesa.

— Callum — disse ele. — Sabemos que alguém com acesso a magia complexa está atrás de você. Mas o que nós não sabemos é... por que essa pessoa não está atrás de Aaron?

Call se sentiu sombriamente ofendido.

— Eu também sou um Makar!

Mestre Rufus ergueu um dos cantos da boca, o que não ajudou Call a se sentir melhor.

— Suponho que eu tenha que formular melhor. Não estou dizendo que você não seja um alvo valioso, mas é estranho que venham *exclusivamente* atrás de você, principalmente quando Aaron é Makar há mais tempo. Por que não tentar matar os dois?

— Talvez estejam tentando — disse Call. — Quer dizer, Aaron estava por perto nas duas tentativas. Talvez o elemental fosse atrás dele quando acabasse comigo.

— E talvez o lustre precisasse ser ativado por um gatilho para cair e o assassino esperou até que Aaron estivesse presente...?

— Exatamente — disse Call, aliviado por Mestre Rufus ter concluído sozinho. Ele não gostava do termo *assassino*, no entanto. A palavra percorreu seus pensamento, sibilando como uma cobra. *Assassino* era muito pior que *espião*.

Mestre Rufus franziu a testa.

— Talvez. Mas acho que desde que chegou ao Magisterium, você tem guardado segredos. Primeiro os do seu pai, agora, talvez um que seja seu. Se você sabe quem está atrás de você, ou por que estão atrás de você, me diga para que eu possa protegê-lo melhor.

Call tentou não encarar Mestre Rufus. *Ele não sabe sobre o Capitão Cara de Peixe*, Call lembrou a si mesmo. *Só está fazendo uma pergunta.* Mas mesmo assim Call começou a suar nas mãos e nas axilas. Fez o melhor que pôde para manter a expressão neutra; não tinha certeza se tinha conseguido.

— Não há nada que eu esteja escondendo — disse Call, mentindo tão bem quanto era capaz. — Se alguém está realmente tentando me matar em vez de Aaron, eu não sei o porquê.

— Quem quer que seja, sabia como entrar no seu quarto — disse Mestre Rufus. — Ninguém deveria ser capaz de tal coisa, exceto eu e vocês três. Mesmo assim tinha só um elemental esperando... o do seu teto.

Call estremeceu, mas não falou mais nada. O que poderia dizer?

Mestre Rufus pareceu decepcionado.

— Gostaria que você acreditasse que pode confiar em mim. Espero que entenda a seriedade disto tudo.

Call pensou em Aaron e na estranha queimadura-não-exatamente-queimadura. Pensou no elemental e naqueles olhos terríveis encarando-o no escuro, as garras cravadas em sua pele. Pensou no ano anterior e em todas as coisas que nunca contou ao Mestre Rufus sobre a missão fracassada para recuperar o Alkahest. Se ele fosse uma pessoa melhor, teria confessado tudo ali mesmo. Mas, se ele fosse uma pessoa melhor, o problema talvez sequer existisse.

— Não sei de nada. Não tenho segredos — disse Call ao Mestre Rufus. — Sou um livro aberto.

CAPÍTULO NOVE

Os dias que se seguiram transcorreram normalmente. Call não gostava do quarto novo, que mais parecia um hotel do que um lugar que pertencia a eles. Livros, papéis e roupas novas foram trazidos pelos magos — toda vez que Call passava pela porta antiga, via que estava fechada com uma barra de ferro. Ele tentou usar sua pulseira na fechadura, mas não deu em nada. Não gostava do fato de que Miri estava trancada lá dentro e até agora não tinha criado coragem de pedir a faca aos magos. Por sorte conseguiu ficar com a pulseira de Constantine Madden, mas só porque ele a usava embaixo da sua, enfiada na manga do uniforme ou do pijama. Call sabia que deveria tirá-la, talvez até se livrar dela, mas descobriu que estava tendo dificuldade em lidar com a ideia de abrir mão dela.

Sua antipatia pelo quarto se tornou pior quando Tamara encontrou uma foto, enfiada sob um canto da cama. Era um retrato de Drew, sorrindo para a pessoa atrás da câmera e envolvendo

Mestre Joseph com um dos braços. Drew era jovem na foto — talvez uns dez anos de idade — e não parecia o tipo de pessoa que poderia torturar Aaron só por diversão. E Mestre Joseph parecia um daqueles pais mais velhos, com ar de professor, aquele tipo que deseja que os filhos leiam livros infantis no original em francês. Não parecia um psicopata que tinha treinado outro psicopata pior que ele. Não parecia um cara que queria dominar o mundo.

Call não conseguia parar de olhar para a foto. Um dos lados tinha sido rasgado, mas um braço e parte de uma camiseta azul mostravam que havia mais alguém com eles. A camisa tinha listras pretas. Por um instante de horror Call achou que pudesse ser o braço do Inimigo da Morte, mas logo se deu conta de que Constantine Madden teria morrido mais ou menos na época em que Drew nasceu.

Mas não eram só a novidade do quarto, a perda de Miri e a foto que deixavam Call desconfortável. Ele também não gostava de como o Mestre Rufus vinha olhando para ele atualmente. Nem de como Tamara vivia o tempo todo nervosa e olhando por cima do ombro. Não gostava da ruga de preocupação que recentemente tinha se formado entre as sobrancelhas de Aaron. E em particular não gostava de como seus amigos não o deixavam longe nem por um segundo.

— Oito olhos são melhores do que um — disse Aaron quando Call manifestou a vontade de passear sozinho com Devastação.

— Eu tenho *dois* olhos — disse Call.

— Sim, é óbvio — disse Aaron. — É só um ditado.

— Você está torcendo para encontrar Celia, não está? — perguntou Tamara, fazendo Aaron lançar mais um olhar de reprovação a Call.

Holly Black & Cassandra Clare

O encontro de Celia e Jasper estava marcado para aquela sexta-feira, e Aaron achava que seria a oportunidade perfeita para descobrir se ela era a espiã. Tamara tinha conseguido arrancar de Celia quase todos os detalhes a respeito do encontro. Tinham marcado na Galeria, às oito, depois do jantar, e iriam assistir a um filme.

— Parece inocente — disse Tamara, dando de ombros ao se sentarem para almoçar e espetando o garfo no macarrão de líquen.

— Bem, é lógico que *parece* — disse Aaron. — Ou você acha que ela iria declarar tão cedo suas intenções maléficas? — Ele lançou um olhar a Celia, que ria alegremente com Rafe e Gwenda. Jasper estava sentado com Kai e parecia no meio de uma história animada.

— Se for mesmo coisa da Celia, como ela conseguiu controlar um elemental gigante daqueles? — perguntou Call. — Sem que ele, você sabe, a matasse e comesse?

— Elementais não comem gente — disse Tamara. — Eles absorvem a energia delas.

Call parou por um instante. Estava se lembrando de Drew, que tinha sido morto por um elemental do caos sob o olhar aterrorizado de Call durante seu primeiro ano como aluno. Lembrou-se de como a pele de Drew tinha ficado azul, e depois cinza, seus olhos ficando vazios.

— ... acho estranho. — Call ouviu Aaron dizer quando saiu do devaneio.

— O quê? — perguntou Call.

— O jeito como todo mundo está olhando para a gente — respondeu Tamara com a voz baixa. — Você notou?

Call não tinha notado. Mas agora que Tamara falou, ele percebeu que as pessoas vinham encarando eles três — Aaron, especificamente. E não do jeito como normalmente o encaravam, com admiração ou aquela expressão como quem diz *olha lá o Makar*.

O que estava acontecendo era diferente. As pessoas observavam com olhos semicerrados, falavam em voz baixas. Todos lançavam olhares desconfiados, sussurravam e apontavam. Se dar conta disso deixou Call com uma sensação desconfortável na boca do estômago.

— O que está rolando? — perguntou Aaron, espantado. — Tem alguma coisa no meu rosto?

— Vocês realmente querem saber? — disse uma voz por cima da cabeça deles.

Call olhou para cima. Era Jasper.

— Todo mundo está falando da coisa que quase comeu Call...

— Elementais *não comem pessoas* — insistiu Tamara, cortando a fala de Jasper.

Ele deu de ombros.

— Tudo bem. Que seja. Enfim, as pessoas estão falando que foi Aaron que o invocou. Alguém contou para alguém que ouviram vocês dois brigando e todo mundo viu quando Aaron invocou todas aquelas criaturas do caos nas férias...

Call ficou boquiaberto.

— Isso é ridículo — disse.

Aaron olhou em volta. Quando encontrou os olhares dos outros aprendizes, todos desviaram o rosto. Alguns dos alunos do Ano de Ferro começaram a rir. Um deles começou a chorar.

— Quem está dizendo isso? — perguntou Aaron, voltando-se novamente para Jasper. Estava com as orelhas coradas e uma expressão que dizia que ele gostaria de estar em qualquer outro lugar.

— Todo mundo — respondeu Jasper. — É um boato. Acho que pelo fato dos Makaris serem instáveis e tudo mais, concluíram que você tentou matar Call. Quer dizer, algumas pessoas acham que é compreensível, porque Call é muito irritante, mas outras acham que está rolando um triângulo amoroso entre vocês e Tamara.

— *Jasper.* — Tamara falou com a voz mais firme possível. — Diga para as pessoas que isso é mentira.

— Qual parte?

— Nada disso é verdade! — retrucou Tamara, elevando a voz de forma dramática.

Jasper ergueu as duas mãos em um gesto de redenção.

— Tudo bem. Mas sabem como é fofoca. Ninguém vai me dar atenção. — E com isso ele se afastou da mesa, de volta para a refeição.

— Não dê ouvidos a ele — disse Tamara a Aaron. — Ele é ridículo e fica maldoso quando está assustado. Provavelmente está nervoso com o encontro e resolveu descontar em você.

Talvez, Call pensou, mas alguma coisa estava realmente acontecendo. As pessoas definitivamente estavam lançando olhares a eles. Call levantou e foi atrás de Jasper, pegando-o pelo cotovelo no momento em que ele chegou a um grande pote de líquido marrom com cheiro de canela e cravo.

— Jasper, espera aí. Você não pode simplesmente contar tudo isso e ir embora. Quem começou o boato? Quem está inventando essas coisas? Você tem que ter no mínimo um palpite.

Jasper franziu a testa o cenho.

— Não fui eu, se é isso que está insinuando... apesar de que devo dizer que me fez pensar. Aaron contou a você e Tamara histórias diferentes sobre o passado dele. Isso é bem suspeito. Não fazemos ideia de onde ele veio, ou quem é a família dele de verdade. Ele simplesmente aparece do nada e pronto! Makar.

— Aaron é uma boa pessoa — disse Call. — Tipo, muito melhor do que nós dois.

Jasper suspirou. Não estava rindo, nem desdenhando, nem fazendo qualquer uma de suas habituais expressões afetadas.

— Você não acha isso suspeito? — perguntou.

— Não — respondeu Call, marchando de volta para a mesa e fervendo de fúria por dentro. Jasper era um idiota. Aliás, todo mundo ali era, exceto ele, Tamara e Aaron. Ele se jogou na cadeira. Tamara estava inclinada para perto de Aaron, falando com a mão no ombro dele.

— Tudo bem — dizia Aaron com a voz esgotada. — Mas eu realmente acho que temos que sair.

— O que está acontecendo? — perguntou Call.

— Eu só estava falando para ele não se deixar afetar por isso. — Tamara estava com o rosto corado, manchas vermelhas nas bochechas marrons. Call sabia que isso significava que ela estava furiosa.

— É ridículo — disse Call. — Vai passar. Ninguém pode acreditar em uma bobagem dessas por muito tempo.

Mas a expressão de Aaron dizia a Call que ele não estava tranquilo. Seus olhos verdes percorriam o refeitório quase como se ele esperasse que as pessoas fossem começar a jogar coisas nele.

— Eu vou voltar para o quarto — disse Aaron.

— Calma aí — disse Alex Strike, com sua forma comprida e esguia projetando uma sombra na mesa. Sua pulseira do Ano de Ouro brilhou quando ele estendeu a mão. Ao abrir a mão, revelaram-se três pedras redondas e avermelhadas. — São para vocês.

— Está convidando a gente pra jogar bolinha de gude? — Call presumiu.

Alex sorriu.

— São pedras-guia — falou. — Os Mestres vão fazer uma reunião hoje à noite. Vocês foram convidados. — Ele mexeu os dedos. — Uma pedra para cada um.

— Fomos convidados? — Aaron perguntou enquanto eles pegavam as pedras da mão de Alex. Ele parecia nervoso. — Por quê?

— Não faço ideia. Sou apenas o mensageiro.

— O que fazemos com isso então? — perguntou Call, examinando a própria pedra. Perfeitamente redonda e brilhante, realmente parecia muito uma bolinha de gude vermelha. Uma das grandes que se usam para atingir as outras.

— Os Mestres estão mudando os locais das reuniões por questões de segurança — explicou Alex. — Se a pessoa não tiver uma dessas não consegue encontrar a sala. A reunião começa às seis. Basta deixar a pedra levá-los aonde devem ir.

↑≈△○◎

Às seis da tarde, os três, mais Devastação, estavam sentados na nova sala compartilhada, cada um olhando para a pedra na mão. Todos vestiam uniformes escolares de cor azul; Aaron tinha engraxado os sapatos e Tamara estava com o cabelo solto, com presilhas de ouro acima das orelhas. O máximo de concessão que Call fez para ficar chique foi lavar o rosto.

— Opa, opa! — disse Tamara quando sua pedra-guia acendeu como um pisca-pisca de natal. A de Aaron foi a seguinte e depois a de Call. Todos se levantaram.

— Devastação, fique aqui — disse Call.

Após a reunião anterior com a Assembleia, ele não queria dar nenhuma desculpa para se lembrarem da existência de Devastação.

No corredor, Tamara se deixava guiar por sua pedra. Sempre que ia na direção errada, o brilho diminuía.

— O Mestre Rufus devia ter nos dado uma dessas quando fomos para os túneis — disse Call quando partiram. — Em vez daquele mapa que desaparecia.

— Acho que isso teria anulado o propósito da aula — observou Aaron, cobrindo a pedra com a mão em concha para não precisar andar de olhos semicerrados por causa da luz. — Você sabe, a coisa toda de encontrar nosso próprio caminho.

— Não seja arrogante — disse Tamara, fazendo uma curva súbita. Todas as pedras ficaram com o brilho mais fraco.

— Acho que você, hum, virou errado — disse Call, apontando para trás, para a grande sala com uma cachoeira subterrânea que a pedra parecia indicar.

— Vamos — disse ela, avançando meio cambaleante, deixando Aaron e Call sem opção que não segui-la.

Ela passou por uma pequena entrada que levava a um espaço com pé-direito alto. Um pequeno bando de morcegos se amontoou, emitindo chiados uns aos outros. Os bichos faziam todo o lugar feder. Call tampou o nariz com os dedos.

— O que você está fazendo, Tamara? — perguntou Aaron, com a voz baixa.

Ela agachou e rastejou por uma passagem estreita. Call e Aaron trocaram olhares preocupados. Era perigoso explorar as cavernas sem um mapa ou alguma espécie de guia. Havia buracos profundos e lagos de lama fervente, sem falar nos elementais.

Entrando na passagem atrás de Tamara, Call torceu muito para que ela soubesse para onde ia.

A pedra parecia áspera em sua mão enquanto Call engatinhava pelo que parecia um túnel natural. A passagem ficou ainda mais estreita e Call não tinha certeza se iam caber. Seu coração começou a bater forte enquanto a única luz de que dispunham desbotava cada vez mais. Após alguns minutos de tensão a passagem se abriu em uma sala desconhecida, mas que não parecia particularmente perigosa. As pedras brilharam.

— Você vai explicar o que foi isso? — perguntou Call.

Tamara colocou as mãos nos quadris.

— Não fazemos ideia de quem esteja atrás de você. Pode ser um dos Mestres, ou alguém que sabe onde será a reunião. Não podemos pegar a rota direta. Pode ser uma armadilha. O objetivo de pedras como estas é garantir que a gente não se perca independente do caminho.

— Ah, isso foi inteligente — disse Call, tentando ignorar o pânico gelado que se acumulava em seu estômago. Ele queria acreditar que seja lá quem fosse o inimigo, ou inimigos, não seriam Mestres da escola. Ele queria acreditar que era apenas um capanga do Mestre Joseph, ou algum pobre mago que detestava Makaris. Ou talvez um aluno que tivesse irritado muito. Call sabia que conseguia ser muito irritante, principalmente quando se esforçava para isso.

Call ainda estava pensando no assunto quando chegaram à sala que os Mestres tinham escolhido para a reunião. Estavam atrasados, e a reunião já tinha começado. Um grupo de Mestres vestidos de preto estava sentado em um semicírculo lustroso de mármore. Um banco longo e baixo, também de mármore, percorria o exterior desse semicírculo, permitindo que os Mestres encarassem o centro do recinto. As estalactites culminavam em lâmpadas redondas feitas de pedra clara, cada uma brilhando com uma luz amarelada.

— Tamara, Aaron e Call — entoou Mestre Rufus quando os três entraram. — Por favor, acomodem-se em seus lugares.

Ele indicou três montes de pedras polidas diretamente à frente da mesa dos Mestres. Call ficou encarando. Era para eles *sentarem* naquilo? As pedras não iam simplesmente ceder e se espalhar, derrubando cada um deles no chão e causando constrangimento?

Tamara passou confiante por Call e simplesmente sentou em uma das pilhas. Ela afundou um pouco e cruzou os braços, mas as pedras não se moveram. Aaron foi o próximo e Call, depois dele, se jogou na última pilha. As pedras chiaram e estalaram quando seu peso as deslocou, mas era como sentar em uma cadeira feita de caramelo, só que menos grudento. As pedras se ajustaram ao corpo de Call até que estava sentado da forma mais confortável que sua perna permitia.

— Legal! Precisamos disso na nossa sala compartilhada — disse Call.

— Call — disse Mestre Rufus em tom sombrio. Call teve a sensação de que o mestre ainda achava que ele escondia algo. — Por favor, guarde para você seus comentários sobre a mobília; isso é uma reunião.

Sério? Achei que fosse uma festa! Call teve vontade de dizer, mas não o fez. Definitivamente, a atmosfera não poderia ser menos festiva. Mestre North e Mestra Milagros ladeavam o Mestre Rufus; Anastasia Tarquin estava próxima à beirada da mesa, seu olhar sombrio fixo em Call.

— O que está acontecendo? — perguntou Aaron, olhando em volta. — Estamos encrencados?

— Não — Mestra Milagros disse ao mesmo tempo em que Mestre North disse "talvez" e bufou.

— Só estamos tentando entender como esse ataque pode ter acontecido — disse Mestra Milagros, lançando um olhar de esguelha para Anastasia. — Tínhamos vários seguranças posicionados. Sabemos que vocês já disseram o que aconteceu, mas podem contar de novo, só para constar?

Call tentou relatar tudo, tentou se concentrar em detalhes que pudessem ajudar em vez de causar pavor e desespero, que eram exatamente o que ele sentia. Tamara e Aaron começaram a explicar as próprias partes. Call fez questão de destacar o quão útil Devastação tinha sido, uma vez que ainda estava preocupado com a visão da Assembleia sobre os animais Dominados pelo Caos.

— Alguém deve estar muito determinado. Se algum de vocês faz ideia do porquê, este seria um bom momento para compartilhar — disse Mestre Rufus, mais uma vez lançando um olhar severo para Call, como se novamente o instigasse a confessar. Depois que Call entregou o Inimigo da Morte para a Assembleia, ele achou que seu segredo estivesse salvo, mas agora parecia mais próximo do que nunca de ser revelado. Se ao menos ele pudesse contar aos magos. Se ao menos acreditassem que Call era *diferente* de Constantine.

Call abriu a boca para falar, mas foi em vão. Tamara foi quem respondeu.

— Não fazemos ideia de por que alguém poderia querer machucar Call. Ele não tem inimigos.

— Eu não iria *tão* longe — murmurou Call, e Tamara o chutou. Forte.

MAGISTERIUM – A CHAVE DE BRONZE

— Há um boato correndo entre os alunos — disse Mestra Milagros. — Hesitamos em trazê-lo a vocês, mas precisamos ouvir o que pensam. Aaron, você teve alguma coisa a ver com o ataque do elemental?

— Óbvio que não teve! — gritou Call. Desta vez Tamara não o chutou por se meter na conversa alheia.

— Precisamos ouvir de Aaron — disse Mestra Milagros gentilmente.

Aaron olhou para as próprias mãos.

— Não, eu não fiz isso. Eu não machucaria Call. Não quero machucar ninguém.

— Acreditamos em você, Aaron. Callum é um Makar — disse Mestre Rockmaple, um mago baixo e de barba ruiva. Call não tinha gostado dele no Julgamento de Ferro, mas estava feliz pelo fato de ele acreditar em Aaron. — Existem muitas razões para aqueles que se opõem ao Magisterium e ao que ele representa atacarem um Makar. Acho que nossa primeira preocupação deve ser descobrir como um elemental malicioso teve acesso ao quarto de um aluno e, mais importante, como podemos garantir que isso nunca mais aconteça.

Call olhou para Aaron. Ele continuava olhando para os próprios dedos, puxando as cutículas. Pela primeira vez, Call notou que as unhas dele estavam completamente roídas.

— Não era um elemental qualquer — disse o Mestre Rufus. — Era um dos grandes elementais. Um dos que estava em nossas próprias celas. Se chamava Skelmis.

Call pensou em Automotones quebrando a casa de um dos amigos do seu pai no ano anterior, louco para destruir Call. Automotones também era um dos grandes elementais. Era perturbador pensar que alguém estava tentando matar Call há mais de um ano e que essa pessoa parecia ser capaz de conseguir as criaturas mais poderosas do Magisterium para isso. Call ficou imaginando se não seria um dos Mestres, afinal. Ele olhou em volta da mesa e estremeceu.

— Agora, talvez precisemos que os três respondam em maiores detalhes — disse Mestre North. — E isso pode levar um tempo. É um inquérito formal sobre Anastasia Tarquin e sobre a hipótese de ela ter sido negligente em sua função de guardiã dos elementais. Mestre Rockmaple vai registrar nossas descobertas e enviá-las à Assembleia.

— Eu já expliquei — disse Anastasia.

Anastasia vestia seu tradicional terno branco, o cabelo cor de gelo estava preso por pentes de marfim. Anéis de ouro branco brilhavam nos dedos. Até a pulseira da mulher era feita de couro cinza claro. A única cor em seu rosto vinha dos olhos, vermelhos por privação de sono e preocupação.

— O elemental Skelmis deve ter sido solto antes de eu colocar os guardas. Só existem duas pedras enfeitiçadas que abrem as criptas onde os elementais estão. Uma delas permaneceu pendurada no meu pescoço. A outra estava no meu quarto, em um cofre fechado por mágica e seguro por três trancas diferentes. Monitorei cuidadosamente todos que entraram e saíram. Vocês viram as anotações. Falaram com os guardas. Colocar a culpa em mim a fim de ter uma desculpa para expulsar da escola uma integrante da Assembleia não nos ajuda em nada.

— Então só porque você não notou ninguém entrando, ninguém deve ter entrado? É nisso que devemos acreditar? — perguntou Mestre North.

MAGISTERIUM – A CHAVE DE BRONZE

Anastasia se levantou e bateu com as mãos na mesa, fazendo Call saltar.

— Se pretende me acusar de alguma coisa, simplesmente acuse. Acha que estou mancomunada com forças do Inimigo? Acha que coloquei este menino e seus amigos em perigo de propósito?

— Não, é óbvio que não — disse Mestre North, visivelmente espantado. — Não estou acusando você de nada. Estou dizendo que pode se gabar sobre seus guardas o quanto quiser, mas eles não funcionaram.

— Então você só me acha incompetente — disse ele, com a voz gelada.

— O que você prefere? — disse Mestre Rufus, entrando no diálogo. — Porque é uma coisa ou outra. Se Mestre North não diz, eu digo. Era obrigação sua garantir que ninguém libertasse um elemental das criptas subterrâneas. Mesmo assim um deles saiu e quase matou um aluno, um dos meus aprendizes. A culpa é sua, Tarquin, goste você ou não.

— Não é possível — insistiu ela. — Estou dizendo, eu jamais faria nada para machucar Callum ou Aaron. Jamais deixaria um aluno em perigo.

Tamara bufou de escárnio levemente após ser excluída da declaração.

— E mesmo assim eles correram grave perigo — disse o Mestre Rufus. — Então nos ajude a descobrir o que aconteceu.

Anastasia sentou novamente.

— Muito bem. — Ela levou a mão ao pescoço e puxou a corrente de baixo da camisa. Uma gaiola grande fazia as vezes de pingente... e dentro dessa gaiola havia uma chave de bronze cuja cabeça era em formato de cadinho. — Quando assumi a guarda das criptas dos elementais das profundezas, eu me certifiquei de que a chave jamais saísse de perto de mim.

— E quanto à outra? — perguntou Mestre North. — São duas chaves. Você disse que trancou a outra. Alguém poderia ter roubado e depois devolvido?

— É muito improvável — respondeu Anastasia. — A pessoa teria que passar por três tipos diferentes de feitiço de tranca para entrar no meu cofre. E o cofre em si foi trazido para cá junto com o resto dos meus pertences. O próprio Mestre Taisuke me ajudou a colocá-lo na pedra.

— Que tipo de feitiços de tranca? — perguntou Mestra Milagros.

Anastasia hesitou, depois suspirou.

— Suponho que eu vá ter que mudá-los agora, apesar de eu achar muito improvável que alguém tenha feito o que vocês estão sugerindo. Tudo bem. A primeira tranca é uma senha que deve ser dita em voz alta. E não, não vou revelar qual é. Não disse isso a ninguém.

Por um instante, ela encarou a própria mão e suas unhas perfeitas. Anastasia era mais velha do que aparentava ser, mais velha do que Alastair, e, naquele momento, estava parecendo mesmo.

Então ela ergueu a cabeça a sua expressão voltou a ficar séria.

— O segundo é um feitiço bem inteligente, ativado pela senha. Um buraco aparece no cofre, mas se você simplesmente enfiar a mão, um elemental cobra ataca, envenenando o ladrão com uma toxina letal. Para passar por ele, é preciso conjurar fogo dentro da abertura. — Um sorrisinho malicioso se formou no canto de sua boca.

MAGISTERIUM – A CHAVE DE BRONZE

— Legal — disse Aaron baixinho. Call concordou com ele.

— E depois, por último, há um feitiço final, criado por mim. Vocês são as primeiras pessoas para quem conto sobre ele e lamento que depois disso ele precise ser substituído. Depois que o fogo é conjurado, nada muda visualmente. A essa altura a pessoa poderá enfiar a mão pelo buraco desde que o faça lentamente. Se tirar a mão rapidamente, alarmes disparam e o cofre se fecha outra vez. Contudo, é criada a ilusão de um elemental cobra saindo da abertura em posição de ataque, o que torna compreensível a tentação de recolher a mão depressa.

Por um instante todos ficaram em silêncio. Call tinha certeza de que estavam maravilhados com os dispositivos de segurança criados por Anastasia, mas também achava que estavam maravilhados com sua astúcia, pois eram feitiços bem criativos.

— Acabamos, afinal? Algo maléfico está entre nós aqui no Magisterium — disse Anastasia, com a cabeça erguida. — Todos sabemos disso. É por esse motivo que eu vim. Sugiro que a gente descubra a fonte em vez de fazer acusações sem base. Antes que seja tarde.

Mestre North voltou-se para Call, Aaron e Tamara.

— Queremos que entendam que nada parecido aconteceu no Magisterium e vamos nos certificar de que jamais volte a acontecer. Vocês três estão dispensados. Vamos prosseguir com a reunião, mas não duvidem de que vamos descobrir o que aconteceu.

Estava nítido que os magos talvez fossem passar a noite toda discutindo, apesar de não terem nenhuma pista pela qual começar. Call pensou, de repente, em Jericho Madden, e em como a sua morte tinha sido acidental — um experimento que fracassou. Será que houve um inquérito depois? Várias pessoas se acusando inutilmente?

— Ainda acredito que o mais seguro seria *ensiná-los* — disse Anastasia, a irritação em sua voz era inconfundível. — Pode me achar negligente em minhas obrigações, mas isso não quer dizer que não tenha sido relapso nas suas também.

— Eu já os ensino — disse Mestre Rufus, lançando seu olhar mais austero a ela. — Ensino o que eles precisam saber.

— Ah — disse ela, e pareceu explícito que não estava mais incomodada, já que tinha certeza de que estava com a vantagem. — Então Aaron e Callum sabem que têm o poder de remover uma alma de dentro do corpo? Eles sabem como fazer? Que alívio, porque achei que você tivesse tanto medo das habilidades deles que estava planejando não contar, mesmo que isso os matasse.

— Eu liberei nossos alunos — disse Mestre North com exaltação incomum. — Tarquin, deixe os garotos irem embora. Ouse me desafiar de novo e eu vou bani-la da escola, independente das ordens da Assembleia.

Do lado de fora da sala de reunião, Call se voltou para Aaron e Tamara. Tamara ergueu as sobrancelhas em um gesto que parecia capturar o quão completamente estranho tinha sido aquilo tudo. Aaron balançou a cabeça. Viram um caminho familiar após alguns passos, o que foi bom, considerando que as pedras-guia só apontavam em uma direção e ficariam eternamente conduzindo o grupo à sala de reunião.

Finalmente, Aaron falou.

— Ainda bem que saímos de lá antes do encontro de Jasper. Eu estava ficando preocupado.

— Você não acha de verdade que Celia é a espiã, né? — perguntou Call. — Quer dizer, não *pra valer*, certo?

MAGISTERIUM – A CHAVE DE BRONZE

— Sei que você não quer que seja ela — disse Aaron, passando por uma área pantanosa que florescia em azul sob a respiração deles. — Sei que você acha que ela é sua amiga, mas temos que ter cuidado. Celia fez algo estranho na época dos dois ataques. Pode ser coincidência. Ou, talvez não.

— Então como essa coisa toda do encontro com Jasper vai ajudar? — perguntou Tamara. — Mesmo que ela seja a espiã, Jasper não é o alvo.

— Jasper me prometeu que falaria coisas sobre Call. Se ela morder a isca, saberemos.

Tamara revirou os olhos. Ela provavelmente achou que Call não notaria à pouca luz do pântano, mas ele notou.

↑≋△○◉

Chegaram sem fôlego à Galeria, que estava iluminada para a noite com riachos reluzentes de lodo, brilhando em azul e verde. Alunos mergulhavam em piscinas fundas de água que brilhavam em turquesa. Call se lembrou da primeira vez em que tinha estado aqui: Celia o tinha convidado durante o Ano de Ferro, e foi uma das coisas no Magisterium que ele gostou muito. Na ocasião ele tinha ficado sem fôlego e percebido que estava diante de coisas que nenhuma pessoa comum jamais veria.

Agora ele olhava para o local com mais familiaridade. Chegava até a reconhecer algumas pessoas — em um canto, estavam Alex, a irmã de Tamara e outra menina do Ano de Ouro. Gwenda e Rafe pulavam em uma das piscinas, jogando água um no outro. Kai estava perto dos tubos de vidro que liberavam bala que espumava, cavando uma montanha de doces com uma das mãos e segurando um livro com outra.

— Olha só isso! — gritou alguém. Por um segundo Call pensou ter visto uma figura magrinha, de cabelos castanhos e com uma camiseta gasta, acenando para ele. Alguém cujos olhos brilhavam pretos em um rosto pálido demais.

Drew.

Call piscou, e a visão entrou em foco na figura de Rafe, que dava um salto com tudo na piscina, espirrando água para todos os lados. Pessoas bateram palmas e vibraram; Aaron se inclinou e sussurrou para Call e Tamara:

— Lá estão eles.

Ele apontou para onde Jasper e Celia estavam sentados em um grande sofá roxo. Celia estava bonita, com um vestido cor-de--rosa, os cabelos amarrados em um rabo de cavalo. Jasper estava Jasper.

Uma vasilha de pedra flutuava entre eles. Celia colocou os dedos dentro dela e, ao puxá-los de volta, estavam brilhando. Ela os soprou e bolhas multicoloridas subiram em espiral para o teto. Celia riu.

— Putz — disse Call. — Celia está com os olhos esbugalhados para Jasper. Isso é tão estranho... Ela nem *gosta* dele. Ou, pelo menos, se gosta, nunca disse nada.

— Ela está atraindo Jasper para suas garras — disse Aaron.

— Vocês são dois idiotas — disse Tamara, soando resignada. — Vamos.

Sorrateiramente, os três foram até o bar cheio de petiscos e balas que ficava perto da parede. Estava escuro; Call seguiu a luz das presilhas de ouro brilhantes de Tamara. Quando emergiram do outro lado, estavam atrás do sofá roxo, muito mais perto de Jasper e Celia. Era a vez de Jasper colocar os dedos na vasilha, aparentemente. Ele lançou um olhar expressivo a Celia e em seguida soprou os dedos. Bolas em forma de corações subiram para o ar.

— Ah, que nojo — disse Call. — Eu vou vomitar.

Tamara precisou colocar a mão na boca para abafar a risada.

— É um encontro — disse ela quando parou de rir. — Em encontros as pessoas devem se divertir.

— Ou fingir que estão se divertindo — disse Aaron, estreitando os olhos para Celia. Ele realmente parecia acreditar que ela podia ser uma espiã.

— O que tem de divertido em olhar um para a cara do outro? — perguntou Call.

— Certo — disse Tamara, lançando um olhar impenetrável aos meninos. — Se vocês dois engraçadinhos fossem sair com alguém, o que fariam?

Call viu as bochechas de Celia ruborizarem quando Jasper se inclinou e disse alguma coisa para ela. Era estranho assistir. Para começar, era bizarro ver Jasper sendo legal com alguém. Normalmente, mesmo quando ele estava disfarçado de alguém-não-muito-babaca, tinha uma ar de arrogância ao falar. Com Celia, no entanto, parecia agir como uma pessoa normal.

E ela parecia interessada nele.

O que era *totalmente injusto*, considerando que o único motivo pelo qual Jasper a convidou para sair foi acobertar o que estavam realmente fazendo na biblioteca.

Pensando bem, Celia sempre dizia que Call estava exagerando quando ele chamava Jasper de babaca. Talvez ela gostasse mesmo de Jasper! Talvez só estivesse fingindo gostar de Call para se aproximar dele.

— Não sei — disse Aaron. — Faria o que a garota em questão quisesse fazer.

Call tinha se esquecido da pergunta que Aaron estava respondendo. Por um instante, torceu para que Celia fosse a espiã no fim das contas. Seria bem feito para Jasper.

Tamara cutucou Call no ombro.

— Uau. Você realmente deve gostar dela.

— Quê? N-não! — disparou ele. — Eu só estava viajando aqui! Sobre como Jasper é um babaca.

Aaron assentiu vigorosamente. Jasper e Celia estavam mergulhando os dedos ao mesmo tempo e soprando, criando bolhas em formato de borboletas e pássaros que flutuavam. Os dois começaram a rir quando um dos pássaros de Jasper desceu para comer uma das borboletas de Celia.

Agora está mais real! Call sorriu. Ficou imaginando o que aconteceria se ele conjurasse a ilusão de um gato para perseguir os pássaros.

— Se gosta tanto assim dela, você deveria convidá-la para sair — disse Tamara lentamente, escolhendo as palavras com cuidado. — Quer dizer, acho que ela perdoaria, se você explicasse.

— Explicasse o quê? — perguntou Aaron.

Call ouviu quando Jasper começou a reclamar sobre Fofinho, o furão de Gwenda. Celia tinha contado a Call sobre a reação alérgica de Jasper a Fofinho no *ano passado*, então Jasper sabia que ela sabia. Mesmo assim, Celia fingiu que era uma informação nova. Jasper acreditou. Continuou falando sem parar do furão e sobre como não gostava dele, e ela agiu como se estivesse *fascinada*.

Call queria gritar.

MAGISTERIUM – A CHAVE DE BRONZE

— Ahh, olha — disse Celia quando Jasper finalmente esgotou o assunto do furão. — Alex Strike acabou de colocar um filme. Quer assistir?

Alex era mago do ar, e uma das maneiras com as quais ele demonstrava o próprio talento era formando ar colorido contra a parede da caverna da Galeria, criando a ilusão de filmes populares. Às vezes ele mudava os finais para se divertir. Call tinha uma lembrança nítida de um Ewok, um droide e o fantasma de Darth Vader dançando a conga na versão de Alex do *Retorno de jedi*.

Jasper pegou a mão de Celia e a ajudou a levantar do sofá. Os dois foram para o lado oeste do recinto, onde fileiras de bancos baixos tinham sido armadas. Encontraram dois assentos contíguos quando a luz naquela parte da caverna diminuiu e as primeiras cenas de um filme começaram a passar na parede.

— Lá vamos nós — sussurrou Aaron. — Ela vai se aproveitar do escuro e nocautear Jasper.

Call de repente se cansou daquilo tudo.

— Não, ela não vai — disse. — Eu já fiquei sozinho com ela várias vezes. Se ela quisesse me machucar, poderia ter feito isso. Deveríamos desistir dessa ideia. O único perigo desse encontro é Jasper fazê-la morrer de tédio.

— Ou nós morrermos pelo mesmo motivo — murmurou Tamara. — Call tem razão, Aaron. Jasper prometeu interrogá-la sobre Call, mas acho que podemos afirmar com segurança que ele se esqueceu disso.

Formas se moviam contra a parede, projetando estranhos padrões de luz. Call podia ver Alex sentado no fundo, movendo as mãos lentamente para fazer as imagens dançarem. Pelo que Call podia notar, o filme era uma combinação de *Toy Story* com *Parque dos dinossauros*, onde brinquedos eram perseguidos por velociraptors.

Holly Black & Cassandra Clare

— Não vai dar em nada — disse Call. — Mas tenho uma ideia do que podemos fazer hoje à noite.

Isso fez Aaron olhá-lo surpreso.

— O quê?

— Se alguém foi até as criptas dos elementais e libertou Skelmis, então existem ao menos algumas testemunhas. Tem que haver.

— Os outros elementais — disse Tamara, percebendo de cara o que ele queria dizer. — Eles continuam presos lá embaixo. Provavelmente viram o que aconteceu.

— Mas a Assembleia já não teria perguntado a eles? — indagou Aaron.

— Não necessariamente — respondeu Call. — A maioria das pessoas tem muito medo de elementais. Não os consideram criaturas com as quais se possa conversar. E é difícil enfrentá-los. Mas tendo dois Makaris... e uma vez que esses elementais estão presos...

— É um plano louco — disse Tamara, mas seus olhos castanhos estavam despertos.

— Está dizendo que não quer fazer? — perguntou Call.

— Não — respondeu Tamara. — Só estou falando que é um plano louco. Como chegaríamos lá embaixo?

— Anastasia praticamente nos explicou isso durante a reunião — disse Call. — Ela disse que guarda uma chave no quarto e outra em volta do pescoço. Tudo que precisamos fazer é entrar no quarto dela quando ela não estiver.

— E os guardas? — perguntou Aaron. — Os que ficam na porta?

— A gente se preocupa com isso quando chegar lá — respondeu Call. — Se o espião entrou, tem que haver um jeito. E se não fizermos isso hoje, ela vai mudar as trancas. Não teremos outra chance.

134

MAGISTERIUM – A CHAVE DE BRONZE

Aaron lançou um último olhar desconfiado a Celia e fez que sim com a cabeça. Juntos, os três foram sorrateiramente para o corredor. Ao partirem na direção dos quartos dos Mestres, Call percebeu que o plano tinha três complicadores. Um, ele não sabia qual era o quarto de Anastasia Tarquin. Dois, ele não tinha como entrar. Três, uma vez lá dentro, teriam que adivinhar a senha dela.

Quão difícil pode ser?, Call se perguntou. A senha provavelmente era alguma coisa óbvia. Alguma coisa que poderiam descobrir só de olhar para os pertences dela.

E o quarto também poderia ser óbvio. Ele olhou para Tamara e Aaron. Ambos pareciam prontos a se deixar convencer de que o plano poderia dar certo. Talvez já tivessem pensado em uma maneira de fazer com que desse. E, seja como for, ao menos estariam fazendo alguma coisa em vez de simplesmente esperando que o espião atacasse outra vez.

Call suspirou. Se os Mestres da Assembleia não conseguiam resolver a situação, então estava por conta deles.

CAPÍTULO DEZ

Não levaram muito tempo para chegar à área dos Mestres. Call nunca tinha ido naquela parte do Magisterium. Apesar de não ser proibido, os únicos alunos que normalmente se aventuravam eram assistentes, como Alex, cumprindo funções ou levando recados. Fora isso, vir até aqui era um convite para encrenca.

Call, inclusive, estava com dificuldades para andar com confiança como normalmente fazia, conforme Tamara o aconselhou. Ele queria se esconder perto das paredes, fugir das vistas, apesar de poucos alunos terem passado por eles. Nenhum Mestre apareceu. Ainda estavam todos enfiados naquela reunião, tentando entender o que tinha dado errado, o que era bom para o plano de Call. Mas, ao mesmo tempo, isso deixou as coisas um pouco assustadoras quando eles viraram nos corredores onde ficavam os aposentos dos Mestres.

Foi divertido tentar adivinhar qual porta era de quem. A do Mestre Rockmaple devia ser a enorme porta cravejada com bronze; a do Mestre North, uma lisa de metal; a do Mestre Rufus, uma de prata escovada. A de Mestra Milagros obviamente era uma com a foto de um gatinho pendurada por um fio e com os dizeres AGUENTE FIRME.

A de Anastasia foi tão fácil de identificar quanto as deles. Um grosso tapete branco tinha sido colocado na frente e a porta em si era feita de mármore claro com veios pretos que pareciam fumaça. Call se lembrou do carregamento de móveis caros e brancos que vira os empregados de Anastasia descarregarem no primeiro dia de aula.

— Esse é o dela — disse Call, apontando. — Tem que ser.

— Concordo — Aaron se aproximou, tamborilou os dedos no mármore. Examinou as beiradas da porta, mas assim como todas do Magisterium, não havia dobradiças, só a parte lisa onde era preciso passar a pulseira para entrar. Em dado momento Aaron deu um passo para trás e levantou a mão. Call sentiu o puxão familiar sob as costelas.

Aaron estava prestes a usar magia do caos.

— Calma — disse Call. — Não... só se for absolutamente necessário.

A sensação de puxão desapareceu, mas Aaron lançou a ele um olhar que quase machucou.

— O que você tem contra magia do caos de repente?

Call tentou colocar seus pensamentos desorganizados em palavras.

— Acho que usar magia do caos faz os Mestres virem correndo — disse ele. — Acho que eles podem sentir de alguma forma, ao menos quando é aqui dentro do Magisterium.

— Achei que tinha sido a bagunça de Skelmis em nosso quarto que fez com que aparecessem tão rápido — disse Tamara pensativamente. — Mas eles realmente chegaram rápido demais para ter sido só um barulho. Call pode estar certo.

— Tudo bem, então — disse Aaron. — O que você sugere?

Passaram os dez minutos seguintes tentando abrir a porta de todos os jeitos que conseguiram pensar. Tamara lançou um feitiço de fogo, mas a porta nem se mexeu. E também não reagiu a congelamento, nem a "abra-te sésamo", nem ao feitiço de destrancamento que Tamara tinha usado nas jaulas da vila da Ordem da Desordem. Apenas ficou ali parada, sendo a porta que era.

E também não reagia a chutes, Call descobriu.

— Sério? — disse Aaron, depois de terem esgotado as ideias. Os três estavam apoiados contra a parede oposta, suando. Aaron encarou o pôster de gatinho da Mestra Milagros. — Tanta preocupação com o cofre e não conseguimos passar nem da porta.

— Alguém passou pela *nossa* porta — observou Tamara.

— Então é possível — disse Call. — Ou, pelo menos, deveria ser. Quer dizer, sabíamos que não seria fácil. Essas portas são a segurança do Magisterium. Acenar uma pulseira qualquer realmente não deveria abri-las. — Ele passou o braço na frente da porta para enfatizar.

Ouviu-se um clique.

Tamara automaticamente endireitou a postura.

— A porta acabou de...?

Aaron deu dois passos largos pelo corredor e empurrou a porta. Abriu com facilidade. Estava destrancada.

— Não está certo. — Tamara não parecia estar gostando daquilo; parecia incomodada. — O que foi isso? O que aconteceu? — Ela virou para Call. — Você está só com a sua pulseira normal?

— Sim, é óbvio, eu... — Call puxou a manga da blusa térmica. E observou longamente. Sua pulseira estava no lugar, é verdade. Mas ele tinha se esquecido da pulseira que tinha subido pelo braço até a altura do cotovelo.

A pulseira do Inimigo da Morte.

Tamara respirou fundo.

— Isso *também* não faz sentido.

— Vamos ter que tentar entender mais tarde — disse Aaron da entrada. — Não sabemos quanto tempo temos no quarto dela. — Ele parecia agitado, mas muito mais feliz do que há poucos instantes.

Call e Tamara o seguiram para dentro, apesar de a expressão de Tamara ainda ser de preocupação. Call sentiu a pulseira do Inimigo queimar em seu braço. Por que não a deixou em casa, com Alastair? Por que quis usá-la na escola? Ele *detestava* o Inimigo da Morte. Mesmo que de alguma forma fossem a mesma pessoa, ele detestava tudo que Constantine Madden defendia e tudo que ele havia se tornado.

— Uau — disse Tamara, fechando a porta atrás deles. — Olha só esse quarto.

O quarto de Anastasia era impressionante. As paredes cintilavam, repletas de quartzos. Um grosso tapete branco cobria o chão. O sofá era de veludo branco, a mesa e as cadeiras eram brancas. Até os quadros nas paredes eram pintados em tons de branco, creme e prata.

— É como estar dentro de uma pérola — disse Tamara, dando uma volta completa.

— Eu estava pensando que é como estar dentro de uma barra de sabão gigante — disse Call.

Tamara lançou a ele um olhar cansado. Aaron que, perambulava pelo quarto, olhou atrás de um armário de louças (branco e com louças brancas), atrás de uma prateleira (branca, cheia de livros envoltos em capas brancas), e embaixo de um baú (branco) no chão. Finalmente se aproximou de uma grande tapeçaria pendurada em uma das paredes. Era tecida em fios nas cores creme, marfim e preto, e retratava uma montanha branca de neve.

La Rinconada?, Call ficou imaginando. *O Massacre Gelado?*

Mas não dava para ter certeza.

Aaron puxou a tapeçaria de lado.

— Achei — disse ele, levantando e tirando a peça do lugar. Atrás dela havia um enorme cofre, feito de aço esmaltado. Até isso era branco.

— Talvez a senha seja alguma variação da palavra *branco*? — sugeriu Aaron, olhando ao redor do cômodo. — É definitivamente a praia dela.

Tamara fez que não.

— Seria fácil demais alguém falar essa palavra sem querer aqui dentro.

Aaron franziu a testa.

— Então de repente o oposto? Âmbar-negro? Ônix? Ou uma cor bem brilhante. Rosa néon!

Nada aconteceu.

— O que sabemos sobre ela? — perguntou Call. — Que é membro da Assembleia, certo? É casada com o pai de Alex, cujo sobrenome é Strike, então obviamente ela não usa o nome do marido.

— Augustus Strike — disse Tamara. — Ele morreu há alguns anos, mas já era muito velho. Ela vinha cuidando das coisas dele há anos, meus pais me disseram.

— E ela falou alguma coisa sobre um marido antes de Augustus... e sobre ter filhos — disse Call. — Talvez ela tenha se divorciado, mas se não for isso, duas pessoas que se casaram com ela, morreram. Talvez ela seja uma dessas pessoas que mata os maridos pelo dinheiro.

— Uma viúva negra? — disse Tamara com desdém. — Se ela tivesse matado Augustus Strike, as pessoas saberiam. Ele era um mago muito importante. Ela conseguiu ocupar uma cadeira na Assembleia por causa dele; antes do casamento ela era só uma feiticeira europeia desconhecida.

— Vai ver que ela só é azarada — disse Call. Ele não tinha se tocado de que o pai de Alex estava morto. Imaginou se os pais de Tamara tinham dissuadido Kimiya de namorá-lo graças à ausência de conexões. Agora, Alex e Kimiya pareciam próximos de novo, mas Call não sabia ao certo o que isso significava.

— Alexander — disse ele em voz alta. — Alexander Strike.

Também não era a senha.

— Sabemos exatamente de onde eles vêm? — perguntou Aaron. — A Europa é um lugar bem grande.

— França! — gritou Call. Nada aconteceu.

— Não grite *França*, simplesmente! — Tamara o repreendeu. — Existem vários outros países.

— Vamos dar uma olhada pelo quarto e ver o que conseguimos achar — disse Call, jogando as mãos para o alto. — O que as pessoas usam como senhas? A data do próprio aniversário? Dos aniversários dos bichos de estimação?

Tamara encontrou um caderno, de capa de couro cinza clara, sob uma pilha de livros. Continha anotações sobre as idas e vindas de guardas, nomes de elementais e um bilhete parcialmente redigido para a Assembleia, explicando como as medidas de segurança poderiam melhorar no Magisterium e no Collegium enquanto os Makaris ainda fossem aprendizes.

Tamara foi lendo qualquer coisa que parecesse uma senha, mas o cofre não se alterou.

Aaron descobriu um montinho de fotos. Nelas, várias pessoas de expressão austera, dois bebês e, parada em um dos cantos, uma mulher muito jovem, de cabelo escuro e usando um vestido largo. As fotos eram granuladas e nada nelas era familiar. A paisagem era rural, com campos de flores atrás deles. Será que uma das crianças era Alex? Call não sabia dizer. Ele sempre achava todos os bebês iguais.

Não havia nada escrito nos versos das fotos. Nada que pudesse ajudá-los a descobrir uma senha.

Por fim, Call olhou embaixo da cama. A essa altura ele estava começando a se sentir um pouco desesperado. Estavam tão próximos de conseguir a chave e falar com os elementais, mas, cada vez mais, ele começava a achar impossível descobrir a senha de uma pessoa que mal conhecia.

Havia alguns sapatos brancos de salto baixo e um único chinelo cor de creme. Atrás deles havia uma caixa de madeira. Provavelmente era a única coisa no quarto que não tinha alguma variação da cor branca. Ao chegar mais perto, Call se perguntou se a caixa era mesmo de Anastasia. Talvez tivesse sido esquecida pelo antigo ocupante do quarto.

Ele a empurrou para o outro lado e deu a volta na cama para inspecioná-la. Madeira gasta e dobradiças enferrujadas — nem um pouco o estilo da ocupante atual.

— O que você encontrou aí? — perguntou Aaron, indo para perto de Call. Tamara sentou ao lado deles.

Call levantou a tampa...

... e Constantine Madden o encarou de volta.

Call sentiu como se tivesse levado um soco no estômago.

Era Constantine na foto, sem dúvida. Ele conhecia aquele rosto tão bem quanto conhecia o próprio, por diversos motivos.

Constantine não estava totalmente visível. Metade do rosto era jovem e ainda bonita. A outra estava coberta por uma máscara de prata. Não era a mesma que o Mestre Joseph usou um dia para enganar a todos se passando pelo Inimigo. Essa era menor — escondia as terríveis queimaduras que Constantine tinha sofrido ao escapar do Magisterium, mas isso era tudo.

Constantine estava de pé no meio de um grupo de magos, todos com o mesmo uniforme verde. Call só reconheceu um deles: Mestre Joseph. Ele também estava mais jovem na foto, os cabelos castanhos em vez de grisalhos.

Os olhos acinzentados e nítidos de Constantine encararam Call. Era como se sorrisse para ele através dos anos. Sorrisse para si mesmo.

— Esse é o Inimigo da Morte — disse Aaron com a voz baixa, inclinando-se sobre o ombro de Call.

— E Mestre Joseph, e vários outros seguidores de Constantine — disse Tamara, com a voz baixa. — Reconheço alguns deles. Estou começando a achar que...

— Que Anastasia Tarquin fazia parte do grupo? — perguntou Call. — Definitivamente tem alguma coisa estranha acontecendo. A pulseira do Inimigo abriu a porta, ela tem fotos dele...

— Pode ser que ela esteja guardando essas fotos não por causa de Constantine — disse Tamara —, mas ser por causa de qualquer uma dessas pessoas.

Call ficou de pé e suas pernas pareciam bambas. Com as mãos em punho junto às laterais do corpo, ele encarou o cofre.

— Constantine — disse ele.

Nada aconteceu. Tamara e Aaron ficaram onde estavam, olhando para Call meio agachados sobre a caixa aberta de Anastasia. Ambos tinham a mesma expressão — aquela que Call entendia como Tendo que Lidar com o Fato De que Call É Mau. A maior parte do tempo eles conseguiam ignorar ou esquecer que a alma de Call era a de Constantine Madden.

Mas nem sempre.

Call pensou nos seguidores do Inimigo da Morte. O que os havia atraído para Constantine? A promessa de vida eterna, de um mundo sem morte. A promessa de que toda perda seria revertida e toda dor apagada. Uma promessa que o Inimigo fez a si mesmo quando seu irmão morreu e que depois estendeu aos seus seguidores. Call nunca tinha experimentado uma perda de verdade e não conseguia imaginar como seria isso — ele sequer lembrava da mãe —, mas dava para imaginar o tipo de seguidores que Constantine sem dúvida atraía. Pessoas de luto, ou que temiam a morte. Pessoas para as quais a determinação de Constantine em recuperar o irmão teria sido um símbolo.

Anastasia tinha perdido vários maridos, afinal. Talvez quisesse um deles de volta.

Call ergueu a mão, olhou para a pulseira do Inimigo, e depois, novamente, para o cofre.

— Jericho — disse ele.

Ouviu-se um clique, e o cofre abriu.

Call, Tamara e Aaron ficaram imóveis com o som. Estava destrancado. Eles conseguiriam descer para ver os elementais. O plano tinha dado certo. No entanto, Call ainda estava nervoso o suficiente para que suas mãos tremessem.

Anastasia parecia uma pessoa gentil e não assassina, mas mesmo assim, ou ela estava tentando matá-lo, ou estava ao seu lado por motivos horríveis. Ele não gostava de nenhuma das opções.

— Então... melhor conjurar fogo na tranca — disse Tamara. — Antes que a elemental cobra venenosa saia.

— Ah, sim. — Call vasculhou seus pensamentos tentando organizá-los. Estalando os dedos, criou uma chama. Em seguida, aproximando-se da abertura do cofre, fez a chama crescer em uma linha longa e fina; como uma flecha sem arco. Ele lançou a chama, que chiou brevemente, parecendo se expandir, e finalmente explodiu no espaço diminuto da abertura. Call não sabia dizer se havia um elemental ali dentro, encolhendo-se. Será que tinha lançado fogo o suficiente para destruí-lo? Será que a criatura tinha sido dissipada ou simplesmente deslizado para algum canto?

Call esticou o braço para enfiá-lo no buraco no cofre.

Não hesite, disse a si mesmo. *Não se mova rápido demais. Se vir uma cobra, é uma ilusão.*

Seus dedos esticaram no momento em que ouviu a respiração de alguém atrás de si.

— Call — disse Aaron em alerta —, não vá rápido demais.

A cabeça da cobra deslizou para fora do buraco quando a mão de Call passou por ele. Era de um verde tóxico, os olhos pretos como duas gotículas de tinta derramada. Uma pequena língua laranja apareceu, farejando o ar.

Os pelos nos braços de Call ficaram arrepiados. A pele retesou com a sensação de uma cobra deslizando sobre ela, fria e seca. Era uma ilusão? Não parecia uma ilusão. Todos os músculos do seu

Holly Black & Cassandra Clare

corpo se contraíram quando, contra todos os seus instintos, ele foi mais fundo no cofre. Apalpou por um instante, espirais do que parecia ser uma corda lisa.

Call estremeceu involuntariamente. Fora do cofre, a cobra começou a subir pelo seu braço.

— Anastasia não teria mentido para os Mestres, teria? — perguntou Call com uma voz apenas ligeiramente vacilante. — Isso é uma ilusão, certo?

— Mesmo que não seja, não acho que você deva assustá-la — disse Tamara em tom assertivo, mas parecendo nervosa.

— Tamara! — repreendeu Aaron. — Call, temos certeza. É uma ilusão. Continue. Está quase lá.

Aaron provavelmente deveria ter sido o encarregado de fazer isso, Call pensou. Aaron definitivamente não estaria cogitando soltar um gritinho agudo e correr sem sequer se preocupar com o alarme.

Mas junto com esse pensamento vinha uma pontinha de dúvida. Se Aaron o quisesse morto, que jeito poderia ser mais eficaz do que mandá-lo fazer alguma estupidez? O que poderia ser melhor do que encorajá-lo a ser corajoso e tolo?

Não, Call disse a si mesmo, *Aaron não é assim. Aaron é meu amigo.*

A cobra tinha chegado ao pescoço de Call. Então começou a dar a volta nele, transformando-se em um colar... ou em um nó.

Nesse momento o dedo de Call tocou o que pareceu uma chave. O metal denteado pareceu frio contra a pele. Ele fechou a mão ao redor do objeto.

— Peguei. Eu acho — disse, começando a retirar a mão.

— Devagar! — ordenou Aaron, quase o fazendo saltar.

Ele olhou fixamente na direção de Aaron.

— Estou indo devagar!

— Estamos quase lá — disse Tamara.

O braço de Call emergiu do cofre e depois a mão, a chave dentro nela. Assim que estava livre, a cobra desapareceu em uma lufada de fumaça malcheirosa, e o cofre se soltou.

Conseguiram. Estavam com a chave de bronze.

$$\uparrow \approx \triangle \bigcirc @$$

Fecharam a porta do quarto de Anastasia tão rápido quanto puderam e se apressaram para a passagem profunda do Magisterium onde ficavam os elementais. Call olhava o tempo todo para trás, nervoso, quase esperando que Rufus ou um dos outros Mestres tivessem descoberto o que estavam fazendo e estivessem vindo atrás deles.

Mas não havia ninguém. Os corredores estavam quietos, e ficaram ainda mais silenciosos à medida que as pedras ao redor deles iam ficando mais lisas, as paredes e o chão transformando-se num mármore tão polido que chegava a ser escorregadio. Passaram por mais portas talhadas com símbolos alquímicos, mas dessa vez Call não parou para olhá-las. Estava mergulhado em reflexões a respeito de Anastasia Tarquin, da foto em seu quarto. Pensava em Mestre Joseph. Será que Anastasia Tarquin era uma de suas servas? Será que ela era a espiã do Magisterium e estava cuidando de Call porque — apesar de todos os acontecimentos — ele ainda era o Escolhido do Mestre Joseph, a alma do Inimigo da Morte?

Tamara parou diante de uma porta enorme feita com os cinco metais do Magisterium — ferro, cobre, bronze, prata e ouro. Brilhava suavemente à luz ambiente do corredor. Ela virou para olhar para Call e Aaron com uma expressão determinada.

— Deixem que eu cuido disso — disse, e bateu uma vez à porta, com força.

Após uma longa pausa a porta abriu. Um dos jovens guardas de quem Call se lembrava olhou para Tamara com desconfiança.

— O que está acontecendo? — perguntou ele. Parecia ter mais ou menos dezenove anos, com cabelo preto bagunçado. Os uniformes do Collegium eram azul-escuros, com listras de diferentes cores na manga. Call desconfiava que elas significassem alguma coisa; tudo no mundo dos magos significava. — O que foi, garota?

Foi admirável a forma com que Tamara conseguiu conter a irritação em ser chamada de "garota".

— Os Mestres querem falar com você — disse ela. — Disseram que é importante.

O menino aumentou a abertura da porta. Atrás dele, Call pôde ver a antessala, com seu sofá e as paredes vermelho-escuras. O túnel que se estendia. Seu coração acelerou. Estavam muito perto.

— E eu tenho que acreditar nisso? — perguntou o guarda. — Por que os Mestres iriam querer que eu abandonasse meu posto? E por que mandariam uma pessoa insignificante como você?

Aaron trocou um olhar com Call. Se o garoto do Collegium não se acalmasse, Call pensou, acabaria no chão, com a bota de Tamara no pescoço.

— Sou assistente do Mestre North — disse Tamara. — Ele pediu para que eu entregasse isso. — Tamara entregou a pedra-guia. Os olhos do menino ficaram arregalados. — Irá levá-lo ao local da reunião; querem que você apresente provas sobre as proteções desse local. Do contrário, pode se encrencar, ou a sua chefe pode se encrencar.

O menino pegou a pedra-guia.

MAGISTERIUM – A CHAVE DE BRONZE

— Não foi culpa dela — disse ele, soando ressentido. — Nem dos guardas. Aquele elemental veio de outro lugar.

— Então vai lá contar isso pra eles — disse Tamara.

Agarrando a pedra-guia, o guarda fechou a porta atrás de si, e Call ouviu os estalos de dezenas de trancas enquanto elas entravam no lugar.

— Deem o fora daqui — disse ele, olhando brevemente para os três, e depois seguiu pelo corredor.

Quando o guarda sumiu de vista, Call pegou a chave no bolso.

Havia um ponto na imensa porta no qual ela se encaixava perfeitamente, e ao ser colocada ali, um traçado de símbolos começou a brilhar por toda a porta. Palavras que Call nunca tinha visto na vida se revelaram: *nem carne, nem sangue, mas espírito*. Enquanto Call tentava entender o que significavam, a porta abriu para dentro.

Eles entraram, passando rapidamente pela antessala até o corredor vermelho-escuro. Era curto e levava a um segundo par de portas imensas e altíssimas, como as de uma catedral gigantesca.

Mas nessas também havia um encaixe, um buraquinho quase pequeno demais para ser notado. Call engoliu em seco e colocou a chave de bronze ali. As portas abriram com um ronco.

Os três entraram.

Call não sabia o que esperar, mas o súbito calor do recinto o surpreendeu. O ar estava carregado e tinha um cheiro azedo e metálico. Parecia haver uma enorme fogueira ardendo, mas não se via fogo algum. Dava para ouvir água correndo ao longe e, mais perto, o rugido de chamas. Portais em arco escavados na pedra levavam a cinco direções diferentes. Na pedra também se liam talhadas algumas palavras conhecidas: *O fogo quer queimar, a água quer correr, o ar quer levitar, a terra quer unir, o caos quer devorar*.

— Qual caminho?

Aaron deu de ombros, depois girou com um braço esticado que apontava aleatoriamente, como um cata-vento.

— Aquele — disse ele quando parou. O arco para o qual apontava parecia o idêntico aos outros.

— Warren? — Call chamou baixinho. Parecia um palpite arriscado achar que o lagartinho poderia ouvi-lo daqui, mas Warren já tinha aparecido em lugares estranhos e horários esquisitos anteriormente. — Warren, precisamos da sua ajuda.

— Não tenho certeza disso — disse Tamara, indo na direção que Aaron escolheu. — Não confio nele.

— Ele não é tão ruim assim — disse Call, embora não conseguisse deixar de pensar em como Warren os tinha levado a Marcus, o antigo Mestre do Mestre Rufus, agora um dos Devorados, atraído pelo elemento do fogo ao usar demais o seu poder. Ainda assim, Marcus não os machucou. Só assustou.

Passado o portal, o caminho estava na penumbra. Não parecia ser um corredor. Estava mais um espaço vazio com pedras derrubadas, cortado por uma trilha que levava a mais escuridão. Havia uma tocha em uma parede, queimando em uma luz verde; Aaron a pegou e foi na frente, com Call e Tamara logo atrás.

A trilha descia e se tornava um ressalto sobre um buraco fundo. O coração de Call começou a bater forte. Ele sabia que havia grandes elementais presos ali, sabia que teoricamente os magos conseguiam se aproximar sem ser devorados — e exatamente isso permitia o aprisionamento dessas criaturas. Mas à luz fraca da tocha de Aaron, Call não conseguia deixar de ter a sensação de que estavam se aproximando da toca de um dragão, e não de um conjunto de celas.

Um pouco mais adiante havia uma alcova na parede. Dentro dela pairava uma serpente alada, coberta de penas cor de laranja, vermelhas e azuis, brilhantes mesmo no escuro.

— O que é isso? — Call perguntou a Tamara.

Ela balançou a cabeça.

— Nunca vi antes. Parece um elemental do ar.

— Devemos acordá-la? — sussurrou Aaron.

Eles devem estar presos por correntes, certo?, Call pensou, mas não viu nenhuma. Nem barras de prisão, nem nada. Só eles e um elemental mortífero a poucos metros de distância.

— Não sei — respondeu Call, sussurrando. Call vasculhou o cérebro, pensando nos monstros dos livros que já tinha lido, mas não conseguia pensar em como esse se chamava.

Um dos olhos da criatura abriu revelando uma pupila grande e preta; a íris, em um tom intenso de roxo, tinha formato de estrela.

— Crianças — sussurrou a criatura. — Eu gosto de crianças.

A parte "no café da manhã" não foi dita, mas pareceu bem explícita para Call.

— Eu sou Chalcon. Vieram me comandar? — A ansiedade com que perguntou deixou Call nervoso. Ele queria comandá-la. Queria forçá-la a contar a ele tudo o que sabia; ou, melhor ainda, a encontrar e devorar o espião. Mas ele não sabia ao certo qual seria o preço disso. Se tinha uma coisa que aprendeu durante o seu tempo de Magisterium, era que criaturas mágicas eram ainda menos confiáveis do que magos.

— Sou Aaron. — Típico de Aaron se apresentar educadamente para uma serpente flutuante. — Estes são Tamara e Call.

— Aaron — Tamara disse, entre dentes cerrados.

— Estamos aqui para interrogá-lo — prosseguiu Aaron.

— Interrogar Chalcon? — repetiu a serpente. Call ficou se perguntando se a criatura seria inteligente. Definitivamente era grande. Inclusive, Call tinha a impressão de que estava maior do que há poucos segundos.

— Alguém invadiu esse lugar recentemente e libertou um de vocês — disse Aaron. — Você faz ideia de quem possa ter sido?

— Libertou — repetiu Chalcon mais uma vez. — Seria bom ser livre — disse, e então inflou um pouco mais. Call trocou um olhar ansioso com Tamara. Chalcon definitivamente estava aumentando. Aaron, com a tocha erguida diante da criatura, parecia muito pequeno. — Se libertarem Chalcon, ele conta tudo que sabe.

Aaron ergueu uma sobrancelha. Tamara balançou a cabeça.

— Nem pensar — disse ele.

Houve uma batida alta. Chalcon tinha arremetido contra eles de repente, os olhos de estrela ardendo vermelhos de raiva. Aaron deu um salto para trás, mas a serpente se debatia contra uma barreira invisível, como se uma linha de vidro os separassem.

— Essa coisa não vai nos contar nada — disse Call, chegando para o lado. — Vamos tentar encontrar outro elemental. Alguém mais disposto a colaborar.

Chalcon rosnou quando se afastaram da sua cela. *Isso é uma cela, afinal, não?*, Call pensou, mesmo que não tenha porta ou barras. Sentiu-se um pouco mal pela criatura alada, feita para voar, mas que, em vez disso, estava presa aqui embaixo.

É evidente que, se estivesse livre, Chalcon provavelmente fisgaria Call e o comeria como um falcão caçando um rato.

Eles desceram para um espaço maior — um enorme salão cheio de alcovas, cada uma aprisionando em elemental diferente. Criaturas gritaram e bateram as asas.

— Elementais do ar — disse Tamara. — São todos elementais do ar; as outras entradas deviam levar aos demais elementos.

— Aqui — disse Aaron, apontando para uma cela vazia. — Era aqui que estava Skelmis; o nome dele está marcado na placa. Então os elementais daqui devem ter visto alguma coisa.

Call foi até uma das celas. Nela, uma criatura com três grandes olhos castanhos em longos pedúnculos e um corpo que mais parecia miasma olhou para ele. Ele não sabia nem se aquilo tinha uma boca. Não parecia ter.

— Você viu quem libertou Skelmis? — perguntou Call.

A criatura simplesmente o encarou, flutuando suavemente na prisão. Call suspirou.

Tamara foi até uma cela que abria em um enorme espaço onde três elementais que pareciam enguias nadavam pelo ar. Eram os mesmos elementais que carregaram Call, Tamara, Aaron e Jasper de volta do túmulo do Inimigo da Morte em suas barrigas, só que bem menores agora. Talvez todos os elementais pudessem alterar seus tamanhos, como Chalcon.

Lembrar-se de ter voado dentro de elementais também fez com que Call se lembrasse de onde Jasper estava agora. Em um encontro. Com Celia. Que quase com certeza não estava tentando matar Call, mas que também talvez não fosse mais sua amiga.

— Todos os elementais do ar são muito burros? — perguntou Call, e a irritação com Jasper estava perceptível em sua voz. Tinham pouco tempo até que os Mestres descobrissem quem tinha enviado o guarda e surgissem na cripta, acabando com toda a operação. Se não tivessem nada até esse momento, a encrenca teria sido a troco de nada.

— Pegou pesado — disse Aaron.

Holly Black & Cassandra Clare

— Sim, mas parece justo. — Tamara observava os movimentos plácidos das criaturas que pareciam enguias. — Vamos tentar os elementais da terra. Eles são mais amigáveis.

Voltaram pelo caminho, passaram por Chalcon, que os encarou com um olhar faminto enquanto emitia um chiado sinistro. A perna esquerda de Call parecia cravada de facas. Eles tinham andado bastante, mas subir a ladeira fez seus músculos queimarem. Quando chegaram ao corredor principal, apesar de ser o autor do plano, ele meio que teve vontade de desistir. Tamara examinava a pedra, tentando ver se havia marcas indicando qual entrada levava aos elementais da terra. Aaron estava com a testa franzida, como se estivesse tentando montar todo esse quebra-cabeça.

— Eu os ouço aí, aprendizes — disse alguém da entrada mais distante, uma voz que parecia sinistramente familiar. — Venham me encontrar.

Call congelou. Seria o espião? Será que tinham encontrado a pessoa que o queria morto?

Aaron girou com a tocha. A entrada estava vazia, o espaço além brilhava em um preto-avermelhado muito intenso, parecido com o tom de sangue há muito derramado. O corredor parecia cheio de sombras ameaçadoras.

— Conheço essa voz — sussurrou Tamara. Estava com os olhos arregalados, as pupilas enormes na escuridão.

— Venham me encontrar, crianças de Rufus — disse novamente a voz. — E eu lhes conto um segredo.

Sob o brilho esverdeado da tocha que segurava acima da cabeça, Aaron parecia determinado. O fogo em sua mão estalava.

— Por aqui — disse ele e foi correndo em direção ao som, com Tamara logo atrás.

154

É isso que os heróis fazem, Call supôs. Correm direto para o perigo e nunca desistem. Call queria desesperadamente ir na outra direção, ou simplesmente deitar e segurar a perna até que parasse de doer, mas ele não deixaria Aaron eventualmente lutar sem seu contrapeso.

Aaron não era seu inimigo.

Call arfou uma vez, tentando ignorar a dor, e então foi atrás deles.

Ficou imediatamente explícito para qual elemento tinham ido. Um calor opressor explodia da entrada e do corredor além. As paredes eram feitas de pedras vulcânicas endurecidas, pretas e cheias de buracos endentados. O rugido do fogo os cercava, com a mesma explosão e impacto de uma cachoeira.

Aaron estava no meio do caminho para o salão, com Tamara ao seu lado. Ele tinha abaixado a mão que segurava a tocha, apesar de ainda projetar uma estranha luz esverdeada sobre eles.

— Call — disse Aaron com um tom estranho na voz. — Call, vem aqui.

Call avançou mancando pelo salão, passando por diferentes celas que encarceravam elementais do fogo. As jaulas não eram fechadas por paredes claras, mas por barras douradas enterradas fundo na terra. Atrás delas dava para ver as criaturas feitas de algo que parecia sombra preta e com olhos ardentes. Uma delas era um círculo de mãos em chamas. Outra era um aglomerado de anéis de fogo, flutuando e pulsando no ar.

O calor era tão opressor que, quando Call alcançou Aaron e Tamara, sua camisa estava ensopada de suor e ele estava prestes a desmaiar. Mas ainda assim conseguiu ver imediatamente por que Aaron e Tamara estavam imóveis. Estavam olhando fixamente através das barras de uma jaula. Lá dentro, um mar de chamas e, no centro, uma garota flutuava.

— Ravan? — disse Tamara com uma voz falha que Call jamais havia escutado. — C-como você está aqui?

Ravan. Call sentiu um choque de horror atravessá-lo. Ravan era irmã de Tamara. Ele sabia que ela tinha sido engolida pelos elementais, tornando-se um dos Devorados, mas jamais lhe ocorreu que ela estivesse aqui.

— Onde mais eu estaria? — perguntou a menina em chamas. — Eles mentem para nós, sabe? Diziam que essa magiazinha de nada que aprendemos no Magisterium é tudo que podemos fazer, mas sou muito mais poderosa agora. Não invoco mais o fogo, Tamara. *Eu sou fogo.* — As íris dos olhos dela piscavam e dançavam com o que inicialmente Call achou que fosse o reflexo das chamas. Até perceber que havia fogo por trás dos olhos dela também. — É por isso que tiveram que me trancar.

— Uma bela reunião de família — disse uma voz do outro lado da sala. Call virou. Marcus, o Devorado, olhava para eles de uma jaula quase idêntica, sorrindo. — Callum Hunt — disse com sua voz estalada e rugida. — Aaron Stewart. Tamara Rajavi. Cá estão. Parece que nem todas as minhas profecias se cumpriram ainda, não é mesmo?

Call se lembrou das palavras de Marcus de dois anos atrás, um terrível eco dos seus medos: *um de vocês irá fracassar. Um irá morrer. E um já está morto.*

Eles sabiam, agora, qual deles já estava morto: Call. Ele tinha morrido como Constantine Madden. *Já está morto.* As palavras pairavam no ar, uma prova terrível de que Marcus tinha dito a verdade.

— Marcus. — Aaron franziu o rosto para ele. — Você disse que tinha um segredo para nós.

Tamara não conseguia desviar os olhos de Ravan. Seus dedos alcançaram a mão em chamas da irmã, como se ela não conseguisse aceitar que ela não era mais humana.

Marcus riu e o fogo em torno dele saltou e dançou, subindo de forma vulcânica. Até Tamara virou para ver, puxando a mão depressa, como se só agora tivesse percebido o que estava prestes a fazer.

— Você procura aquele que libertou Automotones e Skelmis, não? — perguntou Marcus. — O que está tentando matar Callum? Pois são a mesma pessoa.

— Sabemos disso — disse Aaron. — Diga quem é.

— Não vão gostar da resposta. — Marcus sorriu um sorriso de fogo. — É o maior Makar da sua geração.

Tamara pareceu ainda mais abalada.

— *Aaron* está tentando matar Call?

As palavras atingiram Call, fazendo-o sentir como se todo o ar tivesse deixado o recinto. Aaron não podia ser o espião. Mas ao ouvir as palavras de Marcus, Call se sentiu tolo. Eram destinados a serem inimigos. Aaron era destinado a ser o herói, e Call a ser o vilão. Simples assim. Ele nunca tinha tido amigos como Aaron e Tamara antes, e às vezes Call ficava imaginando por que gostavam dele. Talvez a resposta fosse simples. Talvez Aaron não fosse de fato seu amigo.

— Não! — disse Aaron, abrindo os braços em um gesto que quase apagou a chama da tocha. — Óbvio que não estou!

— Então eu estou tentando *me* matar? — perguntou Call a Aaron, sem conseguir botar para fora o que estava pensando. —

Isso não faz o menor sentido. Além disso, é impossível alguém me achar o maior Makar da minha geração.

— Você não acha realmente que quero te fazer mal, acha? — perguntou Aaron. — Depois de tudo, tudo, que aprendi sobre você e tive que aceitar...

— Talvez não tenha aceitado!

— O lustre quase caiu em mim também! — gritou Aaron.

— Abram minha jaula — disse Ravan para Tamara, com o rosto pressionado contra as barras. — A minha e de Marcus, e vamos ajudá-los. Você me conhece, Tamara. Posso ser uma criatura diferente agora, mas ainda sou sua irmã. Sinto sua falta. Deixe que eu mostre o que sei fazer.

— Você quer ajudar? — perguntou Aaron. — Faça Marcus contar que não sou o espião!

— Acalmem-se todos vocês! — disse Tamara, voltando o olhar para o Mestre Devorado e depois para a irmã. — Não sabemos quanto disso tudo é verdade. Talvez Marcus esteja inventando. Talvez ele só queira o que todos os elementais aqui querem: um passe de saída.

— Você acha que isso é tudo que eu quero? — Ravan colocou a mão no quadril. — Você se acha ótima, Tamara, mas é igual ao papai. Acha que por quebrar as regras e não ser responsabilizada, pode julgar todos que não têm a mesma sorte. — E, dito isso, Ravan foi dominada pelo fogo, transformando-se em um pilar flamejante e caindo para trás sobre as chamas.

— Não, espere! — disse Tamara, correndo para a cela da irmã, agarrando as barras quentes por um instante de desespero, apesar de Call ter visto a pele de suas palmas rosada quando ela soltou. Tinha se queimado. — Não quis dizer isso! Volte!

O fogo oscilou, mas não se condensou em nenhuma forma humana. Se Ravan ainda estava lá, não conseguiam identificá-la nas chamas dançantes.

— Sei que não vão me soltar, meus pequenos aprendizes, ainda não, apesar de eu poder lhes ensinar muita coisa. Ensinei Rufus bem, não foi? — Havia algo de faminto no olhar de Marcus que tornava difícil olhar diretamente para o rosto dele. — Bem, e, no entanto, não tão bem assim. Ele não enxerga o que está bem embaixo do nariz dele.

Seu olhar estava fixo em Call, que estremeceu. Ele não conseguia olhar para Tamara e Aaron. Encarou Marcus.

— Você está no Magisterium há muito tempo — disse ele.

— O bastante — disse Marcus.

— Então você conheceu Constantine? O Inimigo?

— Inimigo de quem? — respondeu Marcus com desdém. — Meu é que não é. Sim, conheci Constantine Madden. Eu o alertei, exatamente como fiz com vocês. E ele me ignorou, exatamente como vocês fizeram. — Ele sorriu para Call. — É incomum ver a mesma alma duas vezes.

— Mas ele não era como eu, era? — perguntou Call. — Quer dizer, somos completamente diferentes, não somos?

Marcus apenas sorriu seu sorriso faminto e afundou nas chamas.

CAPÍTULO ONZE

Eles já tinham quase chegado no corredor quando os Mestres entraram explodindo na sala dos guardas, com mágica ardendo das mãos. Estavam de olhos arregalados, prontos para o combate. Ao verem Tamara, Aaron e Call, a bola branca de energia flutuando na frente do Mestre North escorregou e se partiu no chão em um banho de faíscas.

— Aprendizes — demandou. — O que estão fazendo aqui? Expliquem-se!

Mestre Rufus avançou, agarrando o colarinho de Aaron com uma das mãos e o de Call com a outra.

— Dentre todas as coisas imprudentes e ridículas que vocês já fizeram, essa, *essa* foi a pior! Colocaram não só as próprias vidas em risco, mas a de todo o Magisterium.

Tamara, que ainda não estava sendo arrastada pelo Mestre Rufus, ousou falar.

— Achamos que um dos elementais pudesse saber quem soltou Skelmis. Sei que nos fez prometer que não investigaríamos, mas isso foi antes de Call ser atacado!

Mestre Rufus lançou um olhar para ela que fez Call temer que pudesse realmente queimar a pele.

— Então invadiram o quarto de um membro da Assembleia e roubaram uma coisa de um cofre trancado? Algo que poderia ter sido roubado de vocês? Consideraram essa hipótese?

— Hum — disse Tamara, sem ter uma resposta boa.

— Ah, não seja tão duro com eles — disse Anastasia, com a voz tão fria quanto sempre. Com certeza ela sabia que tinham encontrado suas fotos e adivinhado sua senha, mas ainda assim parecia inabalada, como se não tivesse motivo para se sentir culpada ou com medo. — É difícil quando alguém está caçando a gente, nos sentimos desamparados. E eles são heróis afinal, não é? Deve ser duas vezes mais difícil para heróis.

Mestre Rufus estremeceu quando ouviu a palavra *caçando*, mas não diminuiu a força com que segurava Call e Aaron.

Tamara observava Anastasia. Call percebeu que ela estava tentada a dizer algo a respeito do que tinham encontrado no quarto de Anastasia, mas era difícil se colocar contra a única pessoa que está a seu lado. Além disso, Tamara ainda estava perturbada por ter visto a irmã, trancada como uma elemental qualquer.

— Não podemos deixar isso passar — disse Mestre North. — Disciplina é importante para aprendizes e magos em geral. Vamos ter que puni-los.

A mão fria de Anastasia afagou a bochecha de Call. Ele se sentiu ligeiramente congelado.

161

— Amanhã ainda é tempo, certamente — disse ela. — Eu fui a ofendida, afinal. Mereço ter alguma voz.

— Vou levar esses três até o quarto deles pessoalmente — disse Mestre Rufus. — *Agora*.

Com isso, ele arrastou Call e Aaron para os portões. Tamara foi atrás, provavelmente feliz pelo fato de Mestre Rufus só ter duas mãos. Call olhou para Anastasia; estava junto aos outros magos, mas sem interagir com eles. Seu olhar estava fixo em Aaron, com um fascínio que fez o estômago do garoto revirar sem que ele soubesse exatamente o motivo.

↑≋△○@

Call temia que a qualquer momento Mestre Rufus explodisse pela porta, aos gritos por terem invadido a cripta dos elementais. Dormiu inquieto a noite toda. Acordou várias vezes engasgando, mão no peito, saindo de um sonho em que algo que ele não conseguia ver estava prestes a cair em cima dele.

Devastação, que tinha desistido de dormir no último quarto, lambeu os pés de Call solidariamente cada vez que ele gritou. Era um pouco nojento, mas reconfortante.

Quando o alarme tocou, por mais cansado que estivesse, Call ficou quase aliviado por não ter mais que lutar contra o sono. Bocejando, vestiu o uniforme e foi para a sala compartilhada. Devastação vinha logo atrás, ansioso por um passeio.

Tamara estava sentada em um braço do sofá. Estava de roupão de banho e toalha na cabeça. Aaron estava ao lado dela, com a cabelo arrepiado da noite de sono. Ao lado deles no sofá estava Mestre Rufus, com o rosto sério. Obviamente estavam esperando Call aparecer.

MAGISTERIUM – A CHAVE DE BRONZE

Bem, ele já imaginava que isso fosse acontecer. Sentou-se pesadamente ao lado de Aaron.

— Sabem que o que fizeram ontem à noite foi imperdoável — disse Mestre Rufus. — Invadiram o quarto de uma integrante da Assembleia e mandaram o guarda para longe do portão da prisão dos elementais; um menino que, por sinal, caiu em uma fenda e quebrou a perna. Se isso não tivesse acontecido, eu teria encontrado vocês bem antes.

— Ele quebrou a perna? — perguntou Aaron, parecendo horrorizado.

— Isso mesmo — disse Mestre Rufus. — Thomas Lachman agora está sob os cuidados do Mestre Amaranth na Enfermaria. Por sorte um aluno o viu. Estava quase inconsciente no fundo de um desfiladeiro seco. Como podem imaginar, após a descoberta desse fato a reunião dos Mestres desandou. Se não tivéssemos tido essa distração, a aventura de vocês no domínio dos elementais teria sido ainda mais curta do que foi. — Ele olhou friamente para os três. — Quero que saibam que eu os responsabilizo pelos ferimentos do rapaz. Se ele tivesse ficado mais tempo lá, poderia ter morrido.

Tamara parecia arrasada. Foi ela que deu a pedra-guia a Thomas.

— Mas nós... nós andamos pelas cavernas o tempo todo e nunca acontece nada.

A expressão do Mestre Rufus ficou ainda mais séria.

— Ele não foi aprendiz aqui. Anastasia o escolheu por ser de fora, por ter sido educado em um Magisterium diferente. Sendo assim, ele não tinha familiaridade com as cavernas como vocês têm.

163

Espontaneamente, Call se lembrou dos alertas de seu pai sobre o Magisterium e as cavernas: *não tem luz lá embaixo. Nem janelas. O lugar é um labirinto. Você pode se perder e morrer e ninguém jamais ficaria sabendo.*

Bem, ao menos Alastair se enganou quanto a isso, porque encontraram Thomas.

— Sentimos muito — disse Call com sinceridade. De um jeito que Rufus talvez não entendesse, ele lamentava ter ido até as criptas. Queria nunca ter ouvido Marcus dizer que a pessoa tentando matá-lo era o melhor Makar da geração deles. Queria que Tamara não tivesse visto a irmã, ou pelo menos o que restou dela. Ela não chorou e ficou terrivelmente calada quando o Mestre Rufus os deixou no quarto após puxá-los de volta da sala dos guardas. Foi para o próprio quarto e trancou a porta. Call e Aaron se entreolharam por um momento antes de irem para as próprias camas.

— Sentimos muito mesmo — disse Aaron.

— Não é para mim que precisam dizer isso — disse Rufus. — Anastasia já considerou o castigo de vocês e decidiu que devem passar no quarto dela e se desculpar pessoalmente. — Ele ergueu a mão, já impedindo qualquer comentário. — Eu sugeriria que o fizessem esta noite. Deram sorte de escapar tão fácil.

Fácil demais, Call pensou, *e não foi sorte.*

↑≋△○◎

Quando Call, Aaron e Tamara entraram no refeitório, um burburinho percorreu o recinto. Aprendizes que estavam enfileirados para encher suas vasilhas com líquen, cogumelos e chá amarelo apimentado congelaram e ficaram encarando o trio.

— O que está acontecendo? — sussurrou Tamara à medida que se apressavam em direção à sua mesa habitual. — Sou eu ou estão todos agindo de um jeito bizarro?

Call olhou em volta. Alex olhava para eles de uma mesa cheia de alunos do Ano de Ouro. Acenou brevemente e depois olhou para baixo, para o próprio prato. Kai, Rafe e Gwenda também encaravam — Gwenda apontou para Celia e depois para Aaron, o que não fez o menor sentido. Quanto à própria Celia, estava sentada com Jasper, de mãos dadas com ele sobre um prato do que pareciam ser folhas molhadas. Pareciam não ter olhos para mais ninguém.

— Acho que nem sei mais o que é normal — disse Aaron baixinho. — Acha que sabem sobre a noite passada? Que invadimos a prisão dos elementais?

— Não sei — respondeu Call. Em circunstâncias normais ele teria ido e perguntado a Jasper, mas aquele Jasper apaixonado parecia incapaz de qualquer coisa que não olhar para Celia, dizer coisas tolas e babar um pouco.

Call se perguntou por quanto tempo Jasper seria um idiota apaixonado. Ficou imaginando se a mesma coisa teria acontecido com ele se tivesse ido no encontro em vez de Jasper.

— Vamos simplesmente sentar — disse Tamara, mas sua voz não estava firme. Ela estava obviamente abalada, de um jeito que Call não via desde quando ela descobriu quem ele realmente era. Desejou que estivessem em algum lugar onde pudessem conversar sobre a irmã dela. Desejou que todos parassem de olhar para eles.

— Tamara — foi Kimiya que falou, parada de braços cruzados diante da mesa deles. — Por que não vem sentar comigo?

Tamara ergueu os olhos bruscamente, seus olhos escuros ficando arregalados. Pareceu perder a fala ao ver a irmã.

— Eu... mas por quê?

— Vamos, Tamara — disse Kimiya. — Não me faça fazer isso na frente de todo mundo.

— Fazer o quê? — perguntou Call, irritado de repente. Kimiya estava agindo como se ele e Aaron não existissem.

— Não quero ir — respondeu Tamara. — Quero sentar com os meus amigos.

Kimiya apontou com o queixo para Aaron.

— Ele não é seu amigo. Ele é perigoso.

Aaron pareceu chocado.

— Do que você está falando?

— Seu pai está preso — disse Kimiya subitamente. Aaron se encolheu como se ela o tivesse estapeado. — O que já é ruim o bastante, mas além disso, você mentiu. Para todo mundo.

— E daí? — disse Call. — Você não tem o direito de saber detalhes da vida particular de Aaron.

— Se ele se hospeda na minha casa eu tenho sim! — Kimiya se irritou. — Meus pais mereciam saber, ao menos. — Ela encarou Aaron. — Depois de tudo que fizeram por você...

Raiva percorreu Call, fervente; parte dela era por Aaron, e parte *de* Aaron. Porque ele não conseguia calar a voz que o irritava por dentro, dizendo *e se, e se, e se*, e ele detestava todos os aspectos de não confiar em Aaron. Inclusive o próprio Aaron. Ele se levantou, encarando Kimiya.

— Seus pais puxaram o saco de Aaron porque ele é Makar — rosnou. — E agora você vai agir como se isso significasse que Aaron deve alguma coisa? Ele não deve nada a você!

— Parem! Vocês dois, parem! — Tamara virou para a irmã. — Você contou para os nossos pais?

Kimiya pareceu ofendida.

— Lógico que contei. Eles têm o direito de saber que tipo de pessoa é o Makar.

Aaron baixou o rosto para as mãos.

— Dedo-duro. — Tamara se irritou com Kimiya, seu rosto ruborizando. — Quem te contou sobre o pai do Aaron? *Quem*?

— Eu só contei para três pessoas — disse Aaron com a voz abafada. — Call, Jasper e você.

— Bem, não soube por nenhum dos três — disse Kimiya, irritada. — Olha...

— Jasper contou para Celia — disse Alex, surgindo atrás de Kimiya e colocando a mão no braço dela. — E Celia contou para todo mundo. Sinto muito, Aaron.

Aaron ergueu a cabeça. Seus olhos verdes estavam com uma sombra escura.

— O que eu faço agora?

— Todos estão inquietos — disse Alex. — Depois do que aconteceu com Jen, e do ataque do elemental. Querem culpar alguém, e, bem, você é um Makar. Isso o torna potencialmente assustador.

— Eu não fiz mal a Jen! E jamais faria a Call — protestou Aaron. — Nem a ninguém.

Alex pareceu solidário.

— É só segurar a onda — disse ele. — As pessoas vão achar outro assunto. Sempre acham. Vamos, Kimiya.

Com um suspiro relutante, Kimiya se permitiu ser conduzida de volta à mesa dos alunos do Ano de Ouro.

Tamara ergueu o queixo.

— Vamos pegar comida — disse ela —, e se alguém disser alguma coisa na nossa cara, a gente fala uma verdades. Os que sussurrarem pelas nossas costas não merecem nossa atenção. Tudo bem?

Holly Black & Cassandra Clare

Após um instante Aaron se levantou.

— Tudo bem. — Enquanto iam para a mesa de comida, ele falou baixinho com Call. — Obrigado por me defender.

Call assentiu, sentindo-se mal por sequer ter considerado que Aaron pudesse ser o espião.

Mesmo assim, o pensamento não ia embora.

Serviram-se. Call encheu o prato de líquen, cogumelos e batatas, mas os pratos de Tamara e Aaron estavam estranhamente vazios. Os três aprendizes foram para seus lugares de sempre à mesa onde estavam Jasper e Celia, tendo, no entanto, o cuidado de escolher lugares o mais longe possível deles. Celia desviou o olhar de Jasper por tempo o suficiente para olhar na direção deles com pena. O olhar maléfico de Call a fez virar o rosto rapidinho. Ele sempre soube que ela era fofoqueira, mas nunca imaginou que pudesse contar uma coisa dessas para todo mundo. Jasper, é óbvio, provavelmente fez a família de Aaron soar pior do que era, para impressioná-la. Jasper e Celia provavelmente se mereciam. Call torceu para que se beijassem o suficiente para ficarem sem oxigênio e engasgarem.

— Precisamos encontrar o espião — disse Aaron, trazendo os pensamentos de Call de volta ao presente. — Nada disso vai passar até o verdadeiro espião ser pego. E nós, principalmente Call, não estaremos seguros até então.

— Certo — respondeu Call lentamente. — Quer dizer, sou a favor desse plano, exceto pela parte que é apenas uma declaração do objetivo final, e não um plano de fato. *Como* vamos encontrar o espião?

— Anastasia deve saber de alguma coisa — disse Aaron. — Quer dizer, levando em conta o que encontramos no quarto dela, ela tem que estar envolvida de alguma forma.

— A senha dela é o nome do irmão do Inimigo da... — Tamara começou a sussurrar e depois se conteve. — Quer dizer, do Capitão Cara de Peixe. A senha dela é o irmão do Capitão Cara de Peixe. Ela tem uma foto do Capitão Cara de Peixe no quarto. Ela tem que estar do lado dos seguidores dele. O único problema desta teoria é que não são eles que querem Call morto.

Call abriu a boca para protestar, mas Tamara o interrompeu.

— Ou, pelo menos não o queriam quando Automotones foi enviado para matar Call. Mesmo que Mestre Joseph tenha mudado de ideia desde então.

— Talvez ela *odeie* Mestre Joseph, *odeie* o Inimigo e guarde aquelas coisas para se lembrar da sua missão de vingança — sugeriu Aaron. — Talvez ela tenha enviado Skelmis atrás de Call porque sabe que ele realmente é o Capitão Cara de Peixe.

— Ela não parece esse tipo de pessoa — protestou Call.

— É — disse Aaron parecendo inseguro. — Você disse a mesma coisa de Celia. Pare de agir como se o espião fosse alguém que trata você mal ou que você odeie. Não pode simplesmente acreditar que uma pessoa é realmente sua amiga só porque está agindo como tal!

— Ah, é? — perguntou Call, deixando as palavras de Aaron pairarem no ar.

Aaron suspirou e abaixou a cabeça para a mesa, apoiando-a nas mãos.

— Não foi isso que eu quis dizer. Soou errado.

— Talvez devêssemos soltar minha irmã. Talvez ela possa nos ajudar — disse Tamara em voz baixa.

Call virou para ela, chocado.

— Está falando sério?

— Não sei — disse ela, empurrando algumas verduras no prato com o garfo. — Preciso pensar mais sobre o assunto. Depois que Ravan se tornou uma Devorada, meus pais, os amigos dela, enfim, todos agiram como se ela estivesse morta. Eu estava pensando nela desse modo também. Quer dizer, às vezes eu tentava imaginá-la feliz, nadando na lava de um vulcão ou coisa do tipo, mas nunca imaginei que ela estivesse presa no Magisterium. E agora, depois de ver a verdade, sinto como se todo mundo tivesse mentido para mim. Sinto que não tentamos o suficiente. E sinto como se eu não soubesse como me sentir. — Tamara deu um suspirou entrecortado.

— Se quer soltá-la, vamos soltá-la — disse Call, de coração.

— Mas precisamos ter cuidado — alertou Aaron. — Precisamos saber mais sobre os Devorados. No Ano de Ferro prometemos a você, Tamara, que não deixaríamos que fosse tentada a se tornar um deles. Acho que a promessa se estende a não deixar que você seja tentada *por* eles. Quando se tornam Devoradas, as pessoas continuam sendo quem eram antes? Quanto delas realmente sobra? Se fosse um parente meu ali, eu ia querer acreditar que era ele.

— Tem razão — disse Tamara, embora não parecesse totalmente convencida. — Sei que tem.

— Temos aula de manhã hoje, certo? A primeira coisa que temos que fazer depois disso é ir ao quarto de Anastasia e pedir desculpas — disse Call.

— E se ela for a espiã, também temos que sair vivos de lá — acrescentou Tamara.

— O Mestre Rufus sabe onde estaremos — disse Aaron. — Seria loucura nos atacar. Ela seria pega.

— Depende se ela vai continuar por aqui depois — disse Call. Seu braço doía; ele ainda estava com as duas pulseiras, apesar de

MAGISTERIUM – A CHAVE DE BRONZE

agora estar muito mais consciente da que pertencera ao Inimigo.
— Vejam, ou ela quer nos pegar e está me tratando bem para nos
iludir com uma falsa sensação de segurança, ou está mancomunada com o Mestre Joseph e está me tratando bem *porque* eu sou o
Capitão Cara de Peixe. Seja como for, a mulher é perigosa.

— Você não é o Capitão Cara de Peixe — sibilou Tamara.

— Você entendeu. — Call suspirou.

— Vamos entrar e sair rapidinho do quarto — disse Aaron.
— Sem comer nada, sem beber nada, e vamos ficar juntos. Pediremos
mos desculpa, e depois vamos. Ficaremos alertas o tempo todo.

Call e Tamara assentiram. Em termos de planos não era o melhor deles, mas com Tamara preocupada com a irmã e todo o recinto sussurrando sobre como magos do caos eram péssimos, era o
melhor que conseguiriam bolar. Call não conseguia parar de lembrar o que tinha percebido depois da cerimônia no Collegium: que
havia um problema no fato de o Inimigo da Morte ser considerado
oficialmente morto e a guerra acabada — neste novo mundo, os
Makaris não eram desesperadoramente necessários, e assustavam
todo mundo.

↑≈△○@

Call se perguntava como seria a aula do Mestre Rufus naquela
manhã, já que os três estavam muito abalados. Para sua surpresa,
uma palestrante convidada tinha sido designada para falar ao seu
grupo.

Para sua ainda mais extrema surpresa, era alguém que ele conhecia: Alma, da Ordem da Desordem. Na última vez em que a
vira, ela estava tentando sequestrar Devastação para incluí-lo em

seu grande estábulo de animais Dominados pelo Caos no meio da floresta.

Ela continuava não parecendo uma sequestradora de cachorros. Parecia uma professora do jardim de infância. Seu cabelo branco estava arrumado em um penteado contra a pele negra. Usava camisa cinza sobre uma saia verde. Vários colares de contas de jade pendiam do pescoço. Quando ela os viu três, seu olhar foi imediatamente para Aaron. Alma sorriu, mas o sorriso não chegou aos olhos, que permaneceram profundos e atentos.

— Esta é minha velha amiga, Alma Amdurer — disse Mestre Rufus. — Ela deu aula no Magisterium quando eu era aprendiz e conheceu meu Mestre, Marcus.

Call ficou imaginando se Alma sabia o que tinha acontecido com Marcus. A expressão dela não mudou ao ouvir o nome dele.

— Ela sabe muito sobre magia do caos. Muito mais, sinto dizer, do que eu. Call e Aaron, vocês vão passar a manhã trabalhando com Alma enquanto dou aula para Tamara a sós. Andei pensando muito sobre o que Tarquin disse na reunião com os magos e decidi que, por mais que eu não goste de admitir, ela tinha razão. Vocês precisam saber das coisas, e não acho que sou a pessoa certa para ensiná-los. Alma concordou em vir, mesmo tendo sido chamada em cima da hora. Sendo assim, quero que sejam educados e ouçam com atenção o que ela tem a dizer.

O discurso deixou Call mais do que um pouco nervoso. Alma tinha ficado em êxtase quando Aaron apareceu na Ordem da Desordem. Ela estava louca para colocar as mãos em um Makar. Ele se lembrou dela tentando convencer Aaron a voltar para a Ordem da Desordem para que pudesse fazer experimentos com ele. Agora, Mestre Rufus estava praticamente entregando-o.

— Tudo bem — disse Aaron lentamente, sem soar muito entusiasmado.

— Mas nós vamos ficar por aqui, certo? — Tamara soou como se compartilhasse das preocupações de Call e não quisesse deixar Aaron sozinho.

— Estaremos na sala ao lado — disse Mestre Rufus. Com um aceno, fez a parede de pedra roncar e se abrir em uma rachadura, cada vez mais ampla, que daria passagem a ele e Tamara. Ele virou para Alma. — Avise se precisar de alguma coisa.

— Ficaremos bem — disse ele, lançando um olhar para Call e Aaron.

Call observou Mestre Rufus e Tamara entrarem na sala ao lado. Pareciam distantes depois que transpuseram a rachadura na pedra. Tamara tentava comunicar alguma coisa a Call através da expressão corporal — olhos arregalados e mãos fazendo um gesto que pareciam um pássaro moribundo — quando a pedra se fechou de volta e os dois desapareceram.

Sem escolha, Call voltou a atenção a Alma.

— Vocês parecem desconfiados — disse ela com uma risada. — Não os culpo. Posso contar algo que talvez os surpreenda? Mestre Rufus não contou a mais ninguém que ia me convidar para dar aula para vocês. Nem para o Mestre North. Nem para a Assembleia. Não contou a ninguém. A Ordem da Desordem não é exatamente respeitável nos dias de hoje, e nem eu.

— Você ameaçou meu lobo — disse Call. — E meu amigo.

Alma continuava sorrindo.

— Espero que seu amigo aqui não leve para o lado pessoal o fato de que você falou primeiro no lobo.

— Não levo — disse Aaron. — Call sabe que eu consigo cuidar de mim mesmo. Mas nenhum de nós confia em você. Espero que não leve *isso* para o lado pessoal.

— Eu não esperaria que confiassem. — Alma recuou até apoiar-se na mesa de pedra de Rufus. Ela cruzou os braços. — Dois Makaris — disse. — A última vez em que houve dois Makaris vivos ao mesmo tempo eram Constantine Madden e Verity Torres. Findaram protagonizando uma batalha até a morte.

— Bem, isso não vai acontecer com a gente — disse Call. Alma estava começando a irritá-lo.

— Dois Makaris no mesmo Magisterium, no mesmo grupo de aprendizes... sabem o quanto Rufus se encrenca com os outros Mestres por isso? Os outros acham que, de algum modo, ele trapaceou nos Julgamentos de Ferro. — Alma riu. — Principalmente ao ganhar você, Call. Aaron era uma escolha óbvia, mas você é muito diferente.

— Vamos aprender alguma coisa aqui? — perguntou Aaron. — Além de fofocas de professores, quero dizer.

— Pode aprender a lição mais importante da sua vida, Makar — disse Alma em tom ríspido. — Vou ensiná-los a enxergar almas.

Os olhos de Aaron arregalaram.

— Vocês são o contrapeso um do outro — prosseguiu ela. — E ambos são magos do caos. Os dois podem trabalhar a magia do vazio, e é por isso que carregam pedras pretas em suas pulseiras; é isso que, imagino, todos lhe dizem desde que foram revelados como Makaris. Mas existe outra mágica que também podem trabalhar. A da alma humana, que é exatamente o oposto do caos, do nada. A alma é tudo.

MAGISTERIUM – A CHAVE DE BRONZE

Os olhos dela ardiam com uma luz fanática. Call olhou de lado para Aaron; ele parecia fascinado.

— A maioria dos seres humanos nunca vai enxergar verdadeiramente a alma — prosseguiu a mulher. — Trabalhamos como os cegos, no escuro. Mas vocês podem ver. Call e Aaron, olhem um para o outro.

Call virou para olhar para Aaron. Percebeu com surpresa que tinham mais ou menos a mesma altura; ele sempre foi um pouco mais baixo que o amigo. Devia ter espichado alguns centímetros.

— Se olhem — disse Alma. — Concentrem-se no que faz com que seu amigo seja quem *realmente* é. Imaginem que conseguem enxergar através da pele e dos ossos, do sangue e dos músculos. Não estão procurando pelo coração, mas por algo que está além disso. — A voz de Alma tinha uma cadência hipnótica. Call ficou olhando para a frente da camiseta de Aaron. Ficou imaginando o que deveria ver. Havia uma mancha escura onde Aaron havia entornado chá no refeitório.

Olhou de relance para os olhos de Aaron e descobriu que Aaron estava olhando pra ele. Ambos sorriram, sem conseguir evitar. Call encarou mais. O que fazia Aaron ser *Aaron*? Ele era amigável; sempre sorria para todos; era popular; fazia piadas ruins; seu cabelo nunca arrepiava como o de Call. Era isso? Ou eram as coisas mais sombrias que sabia sobre ele — o Aaron que explodia de raiva, que sabia como fazer uma ligação direta num carro, que detestou quando se descobriu Makar porque não queria morrer como Verity Torres?

Call sentiu sua visão mudar. Continuava olhando para Aaron, mas também estava olhando *dentro* dele. Havia luz no interior de

175

Aaron, de uma cor que Call nunca tinha visto antes. Não conseguia descrever essa nova tonalidade. Estava se movendo e mudando, como um brilho projetado contra uma parede, a luz refletida de um lampião sendo carregado.

Call fez um barulho e pulou para trás em surpresa. A luz e a cor desapareceram e ele descobriu que olhava para Aaron apenas, que por sua vez o encarava com os olhos verdes arregalados.

— Aquela *cor* — disse Aaron.

— Eu também vi! — exclamou Call. Eles riram um para o outro, como dois montanhistas que tinham acabado de chegar ao topo.

— Muito bem — disse Alma, soando satisfeita. — Vocês acabaram de ver a alma um do outro.

— É esquisito — disse Call. — Acho que não devemos mencionar para ninguém.

Aaron fez uma careta para ele.

Call se sentiu inquieto. Ele não tinha conseguido usar uma magia nova na primeira tentativa, mas ver a alma de Aaron fez sua breve desconfiança a respeito dele parecer ridícula. Aaron era seu amigo, seu melhor amigo, seu *contrapeso*. Aaron jamais iria querer machucá-lo. Aaron precisava dele, exatamente como ele precisava de Aaron.

O alívio foi avassalador.

— Acho que é o suficiente por hoje — disse Alma. — Vocês dois se saíram muito bem. Em seguida, quero que interajam com outras almas. Vão aprender o toque da alma.

— Não vou fazer isso — disse Call. — Não sei o que é, mas não vou gostar.

Alma suspirou como se achasse que Mestre Rufus há tempos vinha sofrendo por ter que aturar Call, o que era muito injusto considerando que antes ela havia dito que os outros Mestres gostariam de tê-lo escolhido.

— É um método para derrubar o oponente sem fazer nenhum mal verdadeiro a ele — disse ela. — Ainda assim vai se opor?

— Como sabemos que não os machuca? — perguntou Aaron.

— Não parece machucar — respondeu Alma. — Mas, como toda magia de alma, não existem estudos o bastante para comprovar totalmente qualquer coisa. Quando Joseph, eu e vários outros começamos nossas pesquisas, achamos que a magia do caos tinha potencial para fazer muito bem ao mundo. Por serem muito poucos Makaris nascidos em cada geração e pela magia do caos sempre ter sido considerada perigosa, não sabemos o suficiente sobre ela.

O maior Makar da sua geração. As palavras voltaram a Call, perturbando-o. Ele não se importava que Aaron fosse melhor do que ele, mas não gostava de ideia de alguém sendo melhor do que Aaron.

Alma continuou, aprofundando-se no assunto.

— Vocês precisam entender como tudo parecia incrível. Estávamos descobrindo coisas inteiramente novas. Ah, magos do caos já tinham visto almas antes; alguns até aprenderam como arrancá--las dos seus corpos. Mas ninguém nunca tinha tentado tocar uma alma. Ninguém nunca tinha tentado colocar o caos em um animal. Ninguém nunca tinha tentado trocar uma alma de um corpo para o outro.

— Então Joseph ficou maluco ou o quê? — perguntou Aaron. — Quer dizer, por que ele não impediu Constantine antes que ele matasse o irmão? Ele estava animado demais com a mágica?

Jericho Madden. Call sentiu sua cabeça flutuar. Apesar de tudo isso ser um passado distante, parecia mais próximo do que nunca.

Ultimamente, Call sentia como se isso fosse tirá-lo da própria vida, do jeito que o Mestre Joseph queria tirar sua alma do corpo.

Os olhos de Alma anuviaram.

— Para falar a verdade, olhando em retrospecto para aquele dia, eu não sei o que aconteceu. Repassei várias vezes os eventos na cabeça e não consigo deixar de chegar à conclusão de que Jericho morreu porque Joseph o queria morto.

Isso chamou a atenção de Call.

— Quê?

— Constantine era jovem. Ele tinha outros interesses além do estudo da magia do caos; ou melhor, ele achava que tinha a vida inteira para estudar. E, lógico, Rufus era seu mestre, e não Joseph. Acho que Joseph queria que Constantine tivesse compromisso com a causa.

Call ficou horrorizado.

— O Mestre Joseph arranjou a morte de Jericho para que Constantine se comprometesse mais com a ideia de usar a magia do caos para trazer de volta os mortos?

Alma fez que sim com a cabeça.

— E para que Constantine odiasse o Magisterium, que ele culpava pela morte de Jericó. Não acho que Joseph soubesse que estava criando um monstro, é óbvio. Acho que ele só queria garantir a lealdade de Constantine. Acho que ele queria ser o responsável pelas descobertas, queria que seu nome entrasse para a história.

Call pensou em Mestre Joseph no túmulo, na curva do seu lábio e na luz selvagem que havia em seus olhos. Call não tinha tanta certeza de que Joseph não sabia e não desejava criar um monstro.

MAGISTERIUM – A CHAVE DE BRONZE

— As pessoas se lembram do Inimigo da Morte — disse Alma. — Mas se esquecem do homem que o fez quem ele era. Constantine pode ter sido mau, mas também passou por uma tragédia. Ele queria o irmão de volta. Mestre Joseph, por outro lado, só queria poder. Apenas isso. E pessoas assim são as mais perigosas do mundo.

CAPÍTULO DOZE

— Como estou? — perguntou Call. — Pareço arrependido?

Ele estava diante da porta de Anastasia Tarquin, no corredor que abrigava os aposentos dos Mestres. Call, Aaron e Tamara tinham decidido que deveriam se arrumar um pouquinho antes de encontrarem a integrante da Assembleia. Ela era uma presença relativamente assustadora, com suas joias e sua atitude culta e desdenhosa. Call achou que ela fosse levar o pedido de desculpas mais a sério se eles se arrumassem, então ele e Aaron estavam com os paletós que usaram para a cerimônia de premiação e Tamara estava com um vestidinho preto.

Devastação não foi com eles já que, como Call observou, não tinha razões para se desculpar.

Tamara soltou o ar com força suficiente para afastar um cacho da testa.

— Você está ótimo — disse ela pela enésima vez.

Tamara estremeceu.

— Está frio aqui. Bata na porta de uma vez.

Aaron ergueu uma sobrancelha.

— Está tudo bem?

— Não sei — disse Tamara. — Desde que vi minha irmã, só penso nela — engoliu em seco. — E depois tiveram as aulas de hoje. Não gosto de ser separada de vocês como se houvesse algo de errado com o fato de eu não ser Makar. Além disso, o Mestre Rufus foi duas vezes mais rígido comigo do que normalmente é.

— Bem, vamos repetir a dose na segunda-feira — disse Call. — Alma vai vir nos ensinar uma coisa arrepiante chamada toque da alma.

— Não gosto dela — disse Tamara. — Ela me dá arrepios.

Aaron foi até a porta.

— É melhor acabarmos logo com isso.

Ele bateu. O som pareceu explodir e ecoar no corredor. A porta de Anastasia se abriu. Ela estava diante deles com um roupão de seda branca magnífico sobre uma camisola ainda mais chique. Seus pés estavam em chinelos de couro branco.

— Estava começando a achar que não viriam — disse ela, erguendo uma sobrancelha prateada.

— Hum — disse Call. — Podemos... entrar? Queremos pedir desculpas.

Anastasia abriu mais a porta.

— Ah, sim. Entrem. — Ela sorriu quando passaram por ela. — Acho que será uma conversa interessante.

Tamara lançou um olhar significativo a Call, que deu de ombros. Talvez Anastasia estivesse decidida a assassiná-los — descobririam de um jeito ou de outro, e isso era um alívio. A integrante da Assembleia fechou a porta pesada atrás de si com uma batida forte e juntou-se ao trio na sala. Ela era alta o bastante para que sua sombra, projetada na parede oposta onde ficava o cofre, fosse enorme. O cofre tinha sido removido; Call ficou imaginando onde os Mestres o teriam colocado.

— Por favor, sentem-se — disse ela. Diamantes brilhavam em suas orelhas e reluziam contra o seu cabelo.

Call, Tamara e Aaron se ajeitaram no sofá branco. Anastasia sentou diante deles em uma cadeira marfim. Sobre a mesa de centro na frente deles havia cinco xícaras de um bule sobre uma bandeja ornada com algo que poderia ser osso.

— Aceitam um pouco? — ela perguntou. — Tenho um de lavanda e capim-limão que podem gostar tendo em vista todos aqueles fungos e líquens que servem no refeitório. — Ela fez uma careta. — Nunca consegui gostar da culinária subterrânea.

Todos se inclinaram para longe.

— Dadas as circunstâncias — disse Tamara —, acho que não queremos.

— Entendo — Anastasia respondeu, com um sorriso forçado. — Mas vejam, isso faz mesmo sentido? Vocês invadiram meu quarto e roubaram meus pertences. Invadiram a prisão dos elementais. Não é mais provável que vocês sejam uma ameaça a mim do que o contrário?

— Somos alunos — disse Tamara, parecendo indignada. — Você é adulta.

— Vocês são Makaris — argumentou Anastasia. — Bem, dois de vocês são. — Ela gesticulou para Call e Aaron. — E foi uma pergunta retórica. Sei que não querem me fazer mal algum. Mas, da mesma forma, não quero fazer mal a vocês. Tudo que eu sempre quis foi protegê-los. Não mereço desconfiança.

As sobrancelhas de Call ergueram-se consideravelmente.

— Sério? Então por que você tem uma foto de Constantine Madden em uma caixa estranha debaixo da cama, e por que a senha do seu cofre é o nome do irmão dele?

— Já eu poderia perguntar como você obteve a pulseira de Constantine Madden, e, de posse dela, o que o fez vesti-la? — Anastasia lançou um olhar significativo a Call.

Call empalideceu, levando a mão à pulseira, guardada sob a manga do paletó. Agora que estava atento, via que a pulseira criava um contorno sutil sob o tecido da camisa.

— Como você sabe?

Anastasia levantou o bule e se serviu de uma xícara. O agradável aroma de capim-limão preencheu o recinto.

— Sem ela vocês não teriam conseguido entrar aqui. O motivo é simples: há muito tempo, usei magia para sincronizar nossas pulseiras. Eu conheci Constantine quando ele era um menino. Eu sei que, para a geração de vocês, imaginar o poderoso Inimigo da Morte como um menino é chocante, mas ele era apenas uma criança quando veio para o Magisterium.

"Eu me sinto parcialmente responsável pelo que aconteceu com ele e Jericho. Lembretes de Constantine de Jericho são lembretes do meu próprio fracasso. — Ela olhou para baixo. — Eu deveria ter percebido o que estava acontecendo, deveria ter impedido Joseph antes que ele levasse os meninos longe demais. De certa forma, sou responsável pela morte de Jericho e pelo que Constantine se tornou. Não vou me permitir esquecer disso."

Ela tomou um gole de chá.

Holly Black & Cassandra Clare

— Tenho uma dívida com esses meninos. E o meu jeito de pagar é garantindo que a próxima geração de Makaris permaneça intacta. Sou uma velha senhora e já perdi muito, mas antes de morrer, quero saber que vocês dois estão seguros. Callum e Aaron, vocês são minha esperança para um futuro melhor.

— Então é por isso que se ofereceu para vir aqui ajudar a encontrar o espião? —perguntou Tamara.

Ela assentiu lentamente.

— E se eu soubesse quem é, acreditem, eu não hesitaria em agir.

— Sentimos muito — disse Aaron. — Quer dizer, foi isso que viemos dizer, mas sentimos mesmo. Não deveríamos ter bisbilhotado suas coisas, nem invadido seu quarto, nem nada disso. Quer dizer, não podemos nos desculpar por tentar manter Call em segurança, mas sentimos muito pela maneira como fizemos.

Tamara assentiu. Call se sentiu desconfortável por todos estarem dando a cara a tapa por ele.

Anastasia sorriu, do jeito que adultos sorriam quando Aaron ligava o botãozinho do charme. Mas antes que pudesse responder, ouviram uma batida à porta. Call, Aaron e Tamara se entreolharam alarmados.

— Não precisam se preocupar. — Anastasia se levantou. — É nosso quarto convidado. Alguém que chamei para se juntar a nós.

Mestre Rufus?, Call se perguntou. *Alguém da Assembleia?* Mas quando Anastasia abriu a porta, era Alma Amdurer, vestindo um poncho vermelho. Ela entrou no quarto e Anastasia fechou a porta novamente.

— Olá, crianças — disse Alma com um sorriso. — Anastasia já explicou tudo para vocês?

— Não — disse Anastasia, indo para perto de Alma. Com ela toda de branco e Alma de vermelho escuro, elas lembravam as Rainhas Vermelha e Branca de *Alice no País das Maravilhas*. — Achei melhor você fazer isso.

Alma fixou seus olhos escuros neles.

— Vocês sabem, certamente, sobre os planos da Assembleia para pegar os animais Dominados pelo Caos e eliminá-los? — perguntou sem preâmbulos.

Call piscou os olhos, imaginando o que isso teria a ver com Anastasia — ou com qualquer um deles.

— É horrível — disse ele.

Alma sorriu.

— Ótimo. A maioria das pessoas não acha. Mas a Ordem da Desordem concorda, e estamos dispostos a fazer o que for preciso para manter esses animais seguros.

— Bem, gostaríamos de ajudar — disse Aaron. — Mas o que podemos fazer?

— Sabemos quando os animais reunidos aqui na floresta serão transportados — disse Alma. — Precisamos da ajuda de um Makar para levá-los dos veículos de transporte a um lugar seguro.

Tamara levantou a mão, contendo Aaron e Call antes que eles pudessem se oferecer. Seu olhar era impiedoso.

— Nem pensar. É perigoso demais — disse.

Alma olhou intensamente para os três amigos.

— Se vocês se importam com Devastação, então deveriam me ajudar. São irmãos e irmãs dele no caos. E talvez até literalmente.

— Se vamos ajudá-la, e, sim, eu também vou, mesmo não sendo Makar, então precisa fazer algo por nós — disse Tamara.

— Bem, parece justo — concordou Anastasia, com um sorriso discreto.

— Anastasia me contou sobre as dificuldades que estão enfrentando — disse Alma. — E, é lógico, ouvimos coisas. A Ordem não é inteiramente desligada do mundo dos magos. Estaríamos dispostos a ajudá-los a encontrar o espião.

Aaron se sentou ereto.

— O que a faz pensar que pode encontrar o espião?

— Temos uma testemunha que podemos interrogar.

— Mas não há testemunhas! — protestou Call. — A Assembleia não encontrou nenhuma...

— Jennifer Matsui — respondeu Alma calmamente.

Fez-se silêncio.

— Ela está morta — disse Tamara, afinal, olhando para Alma como se ela estivesse louca. — Jen está morta.

— A Ordem estuda magia do caos há anos — explicou Alma. — O tipo de magia praticada pelo Inimigo. A magia da vida e da morte. Mestre Lemuel aprendeu uma forma de conversar com os mortos. Podemos falar com Jennifer Matsui e perguntar quem a atacou se nos ajudarem com os animais Dominados pelo Caos.

Call olhou do rosto espantado de Tamara para Aaron, que parecia esperançoso. Aaron queria encontrar o espião mais do que qualquer um, Call pensou. Mais do que o próprio Call.

— Tudo bem — disse Call. — O que exatamente você precisa que a gente faça?

↑≋△○◎

Naquela noite, Call e Tamara foram para a área externa passear com Devastação. Aaron estava disposto a ir, mas ficou óbvio que ele não queria de verdade — estava sentado no sofá, aconchegado com um cobertor, lendo as revistinhas que Alastair mandava para Call. Algumas pessoas quando se irritam andam de um lado para o outro, gritam, mas Aaron se fechava em si mesmo, comportamento que Call achava mais preocupante.

— Não é culpa sua, você sabe — disse Tamara para Call enquanto Devastação farejava um trecho de ervas daninhas. O lobo sabia que assim que escolhesse uma árvore e fizesse o que tinha de fazer, iam levá-lo de volta para dentro, então ele adiava o máximo possível.

— Eu sei disso. — Call suspirou. — Não pedi pra nascer, ou renascer, ou o que quer que seja.

Ela riu. A noite estava clara, as estrelas brilhantes, e o ar menos frio do que deveria estar naquela época do ano. Tamara não estava nem usando casaco.

— Não foi isso que quis dizer.

Respirando fundo, ele continuou.

— Eu só sinto que alguma coisa aconteceu há muito tempo, com Constantine e o Mestre Joseph, e mesmo com o Mestre Rufus e Alastair. Eles descobriram coisas no Magisterium. Coisas importantes. Tipo, a Ordem da Desordem sabe como falar com os mortos? Isso é muito sério. E mesmo assim mais ninguém parece saber dessa informação.

— Ninguém *quer* saber — disse Tamara. — Não, esqueça isso. Aposto que é a Assembleia que não quer que as pessoas saibam.

Call piscou para ela.

— E seus pais? Eles são da Assembleia.

— Eles sequer me deixaram saber sobre Ravan. — Tamara chutou um monte de terra com a bota. — Tem razão. Anastasia e a Ordem da Desordem conheceram Constantine na escola, o que significa que sabem mais sobre o que aconteceu do que a gente. Muito mais.

— E eles sabem mais sobre como a magia do caos realmente funciona — Call chamou Devastação, apressando-o para voltar para dentro. — E talvez saibam algo sobre o espião, também.

— O maior Makar da nossa geração — disse Tamara, pensativa. — Então mais alguém, aqui na escola, está usando magia do caos. Só não foi pego ainda.

— Não por nós — disse Call. — Mas vai ser.

O vento ficou mais forte, soprando as árvores com intensidade o bastante para derrubar uma cascata de folhas sobre eles. Bagunçou o cabelo solto de Tamara e carregou suas vozes quando chamaram um ao outro. Após um instante de frustração, Call apontou para o Magisterium e eles abaixaram as cabeças e voltaram para o portão, com Devastação correndo atrás.

De volta aos corredores escurecidos e passagens estreitas, Call não pôde deixar de pensar no peso que recaía sobre seus ombros à medida que adentravam nas cavernas: o peso de, mais uma vez, não saber em quem podia confiar.

↑≈△○◉

Na segunda-feira, Mestre Rufus anunciou que teriam um teste na sexta, em que todo o Ano de Bronze competiria entre si. Mestre Rufus até fez braçadeiras para Tamara, Aaron e Call, declarando-os uma equipe de três pessoas.

Callum resmungou. Ele nunca gostou dos testes, pelo menos desde que teve que lutar contra dragões no seu Ano de Ferro. Após fugir durante o Ano de Cobre e voltar com a cabeça do Inimigo da Morte, ele conseguiu escapar de mais alguns, mas agora parecia que sua sorte em evitar testes tinha acabado.

Aaron estava envolvido demais em sua melancolia por não ser querido, ou pelo menos ser considerado suspeito, por todos na escola. Com ar solene, simplesmente aceitou sua braçadeira. Call queria dizer para Aaron que ele nunca foi popular e que ainda estava bem, mas temeu que talvez Aaron não achasse suas palavras tão reconfortantes. Ainda assim, o Aaron sorumbático provavelmente tinha menos disposição para discutir do que o Aaron normal.

— Pode nos falar alguma coisa sobre o teste? — perguntou Tamara. — Qualquer coisa?

Mestre Rufus balançou a cabeça.

— Certamente não. Vocês três são considerados, por muitos motivos, um grupo extraordinário. Se não se comportarem bem, vão decepcionar muita gente, inclusive a mim. Espero que façam o melhor. E espero que o façam sem precisar de *dicas*.

Tamara deu de ombros e sorriu.

— Ao menos eu tentei, né?

Mestre Rufus lançou a ela um olhar que dizia que, apesar de poder, ele não se aprofundaria no assunto. Em vez disso, embarcou em uma palestra sobre o que fazer quando se parece ter abundância de magia e um feitiço começa a ficar maior do que deveria. A resposta objetiva: era responsabilidade da pessoa que invocou o poder controlá-lo.

Tudo que aprendiam atualmente era sobre responsabilidade e controle. E nada disso estava ajudando.

↑≈△○◎

No caminho de volta para os novos aposentos, os três viram Gwenda espreitando no corredor. Estava frio ali, e ela vestia um casaco pesado e jeans. Tinha uma expressão irritada no rosto, mas se alegrou quando eles se aproximaram, esfregando as mãos pelos braços para se aquecer.

— Estava torcendo para encontrá-los — disse ela.

— O que foi? — perguntou Tamara. Aaron ficou atrás, parecendo preocupado com a possibilidade de ela lhe dar um fora ou encará-lo. Mas ela apenas parecia esperançosa.

— Preciso falar com vocês — disse ela. — Mas podemos entrar no quarto novo de vocês?

Os três se olharam. Call podia ver sua própria faísca de excitação espelhada nos olhos dos amigos. Talvez Gwenda soubesse de alguma coisa sobre o espião. Será que tinha visto alguma coisa ou desconfiado de alguém?

Foram até a sala compartilhada e Call guiou Devastação para ficar de guarda na porta caso alguém tentasse invadir. Devastação assumiu seu posto com o ar vigilante.

— Olhem — disse Gwenda, uma vez que os três tinham se ajeitado no sofá e a olhavam com expectativa —, a questão é...

— Continue, Gwenda — disse Tamara. — Pode nos contar qualquer coisa.

— Quero vir morar com vocês! — disparou Gwenda, um rubor surgindo em sua pele negra. — Sei que aprendizes do mesmo grupo devem compartilhar o quarto, mas eu pesquisei e qualquer aluno pode mudar se quiser. Ouvi dizer que vocês têm um quarto extra, e a questão é que não *suporto* mais!

— Não suporta o quê? — perguntou Aaron.

— Jasper e Celia! — respondeu Gwenda, exasperada. — Eles vivem se abraçando no sofá, se beijando, cochichando baboseiras no ouvido um do outro. É horrível.

— Então diga para pararem — disse Call, decepcionado. Tamara, por outro lado, pareceu entretida.

— Não adianta — argumentou Gwenda. — Eu tentei, Rafe tentou, e não adianta nada. Eles não escutam. É por isso que relacionamentos dentro de grupos de aprendizes são péssimos para todo mundo.

— Teríamos que perguntar ao Mestre Rufus — respondeu Aaron, que sempre caía em histórias tristes e provavelmente estava satisfeito por ela preferir seu passado criminoso a presenciar os beijos de Jasper.

Call ficou encarando. Ele gostava de Gwenda, mas, considerando a quantidade de armações e tramoias que ele, Tamara e Aaron faziam, ele não enxergava como tê-la em seu quarto seria algo além de uma inconveniência.

— Meus pais eram do mesmo grupo de aprendizes quando começaram a se relacionar — disse ele.

— Bem, aposto que quem quer que fosse do grupo deles detestava isso — disse Gwenda, irritada.

Call estava prestes a abrir a boca para dizer que tinham compartilhado o mesmo grupo com o Inimigo da Morte e seu irmão, mas decidiu ficar quieto. Não era exatamente um segredo, mas também não era algo que todo mundo soubesse. Call achava que quanto menos as pessoas fizessem qualquer conexão entre ele e Constantine Madden, melhor.

Além disso, se ela começasse a sugerir que o Inimigo da Morte foi levado a ser um Suserano do Mal por causa do namoro dos pais de Call, ele talvez tivesse que matá-la.

— Gwenda... — Tamara começou, obviamente tendo algumas das mesmas dúvidas de Call.

Houve uma batida na porta. Gwenda deu um salto, em seguida apareceu esperançosa.

— É o Mestre Rufus? — perguntou ela. — Se for, vocês podem perguntar pra ele agora mesmo.

Aaron balançou a cabeça.

— O Mestre Rufus simplesmente entra — respondeu, ficando de pé. Atravessou o recinto e abriu a porta.

Era Jasper.

— Ah, meu Deus — disse Gwenda. — Por que não consigo me livrar de você?

Jasper pareceu confuso.

— Por que alguém ia querer uma coisa dessas?

Ela virou para Call e Tamara.

— Ele vem aqui assim o tempo todo? Aparece assim, sem avisar?

— Constantemente — respondeu Tamara.

— É um problema — reafirmou Call.

Gwenda jogou os braços para o alto em sinal de rendição.

— Deixa pra lá, então — disse ela. — Esqueçam tudo que eu falei.

Ela se retirou do quarto, passando por Jasper, que parecia confuso.

— O que foi isso? — perguntou ele.

— Basicamente você é um saco — respondeu Call. — Mas já sabíamos disso.

Jasper entrou, fechando a porta atrás de si. Estava respirando fundo para dizer alguma coisa quando Devastação saltou, derrubando-o para o chão. Jasper gritou.

MAGISTERIUM – A CHAVE DE BRONZE

— Ops — disse Call. — Pedimos para Devastação cuidar da porta, então...

Jasper gritou um pouco mais, coisa que Call achou desnecessária. Não houve qualquer indício de que Devastação fosse machucá-lo. Devastação conhecia Jasper. Ele estava apenas sentado em cima dele, língua de fora e parecendo pensativo.

— Tire... ele... de... cima... de... mim — Jasper falou entredentes.

Call suspirou e assobiou.

— Vamos, Devastação — disse ele. Quando Devastação saiu de cima de Jasper e foi até Call para receber elogios e afagos, Jasper se levantou, esfregando o casaco exageradamente.

— Tudo bem, Jasper — disse Tamara. — Fala logo. Por que está aqui?

— Ou pode simplesmente se retirar — disse Aaron friamente, levantando. — Isso também é uma possibilidade.

Tamara ergueu as sobrancelhas. Call estava um pouco boquiaberto. Aaron simplesmente não falava assim com as pessoas. Aaron normalmente não olhava para as pessoas do jeito que estava olhando para a Jasper: como se fosse socá-lo na cara.

Call sentiu um desejo enorme por um balde de pipoca.

Jasper pareceu desconfortável.

— Queria pedir desculpas.

Aaron não disse nada.

— Sei que acham que fui eu quem plantei o boato — prosseguiu Jasper. — Quer dizer, não que seja exatamente um boato, sobre seu pai. É a verdade.

Se é que isso era possível, Aaron pareceu ainda mais ameaçador.

193

Holly Black & Cassandra Clare

— Era segredo — disse ele. — E você sabia disso.

— Sim — Jasper teve a decência de parecer envergonhado.

— E o resto é mentira — disse Aaron sem rodeios. — Eu jamais machucaria Call. Ele é meu melhor amigo. É meu contrapeso.

— Eu sei — disse Jasper, para surpresa de Call. — E eu não disse a ninguém que você faria isso. Não mesmo! Eu contei a Celia a parte sobre seu pai, sim, e não devia ter feito isso. Sinto muito, *mesmo*. É que estavam todos falando de você, e acabei me metendo. Mas eu não disse nada sobre o resto.

— Então você acha que sou o espião? — perguntou Aaron.

Call se lembrou das palavras de Jasper no refeitório: *Aaron contou a você e Tamara histórias diferentes sobre o passado dele. Isso é bem suspeito. Não fazemos ideia de onde ele veio, ou quem é a família dele de verdade. Ele simplesmente aparece do nada e pronto! Makar.*

Jasper olhou para Call. Provavelmente estava se lembrando da mesma coisa.

— Não acho — respondeu Jasper. — Fiquei pensando, depois que os boatos começaram. Mas a única pessoa para quem falei que você poderia ser foi Call.

Aaron lançou um olhar espantado a Call, antes de olhar novamente para Jasper.

— Você não *acha*?

— Não — respondeu Jasper. — Você não é o espião, ok? Não acho que seja, e sinto muito por ter contado para Celia sobre o seu pai. E, se serve de consolo, ela também está arrependida. Ela nunca achou que as coisas fugiriam tanto do controle. Ela contou para duas pessoas e fez com que as duas jurassem segredo, mas a coisa acabou se espalhando.

194

Aaron suspirou e a raiva o deixou.

— Tudo bem, eu acho. Você realmente não plantou o boato sobre eu estar querendo acabar com Call?

Jasper se endireitou em uma pose estranhamente formal e colocou uma mão no coração.

— Juro pelo nome da família DeWinter.

Call riu com desdém e recebeu uma encarada de Jasper. As coisas quase pareciam normais.

— Ah, não — disse Tamara. — Se quer que fique tudo bem, vai ter que fazer algo por Aaron. E Celia vai ter que ajudar.

— O quê? — Jasper olhou preocupado para Tamara, o que era sempre uma boa conduta, porém especialmente boa no momento, quando ela o encarava com um brilho no olhar.

— Celia está no circuito do boato — disse Tamara. — Descubra se pode haver outro Makar na escola, ou em algum lugar. Alguém atuando às escondidas. E veja se tem alguém com quem Drew conversava muito, pode ser?

— E descubra quem plantou o boato — acrescentou Call.

Jasper fez que sim com a cabeça, erguendo as mãos para evitar que qualquer um se irritasse com ele.

— Ok.

— Ótimo. Desculpas aceitas. — Aaron se jogou no sofá. — Seja como for, você tem problemas maiores do que nós. Gwenda veio aqui porque quer se mudar do quarto de vocês.

— Por minha causa? — disse Jasper. — Isso é ridículo.

— Talvez ela não seja muito fã de romance — Tamara falou com um sorriso maldoso.

Jasper sentou ao lado de Aaron sem ser convidado.

— Ela só está com inveja porque não tem um namorado como eu. Sou um ótimo namorado. Sei exatamente como manter uma garota feliz.

Tamara revirou os olhos. Call ficou feliz por ela não ter achado o discurso convincente. Após a deserção de Celia, ele não sabia ao certo o que impressionava garotas.

— Como prova do quão arrependido estou, posso oferecer algumas das minhas melhores dicas românticas — sugeriu Jasper.

Call, que estava prestes a se empoleirar em um dos braços do sofá, começou a rir tanto que caiu. Bateu com a perna ruim no chão — o que doeu, mas não o suficiente para impedi-lo de gargalhar.

Tamara estava visivelmente tentando impedir uma risada. Seus lábios não paravam de tremer nos cantos.

— Você está bem? — perguntou Aaron, se inclinando para ajudar Call a levantar.

— Sim! — Call conseguiu responder antes de começar a rir de novo. Ainda rindo, foi em direção ao sofá, para o lado oposto de Aaron. — Tudo bem! Estou bem!

— Em primeiro lugar — disse Jasper, fazendo uma careta para Call, que obviamente não apreciava a sabedoria que ele estava prestes a compartilhar —, quando forem falar com uma garota, devem olhar em seus olhos. *Sem piscar*. Isso é muito importante.

— Isso não vai fazer a gente começar a lacrimejar? — perguntou Aaron.

— Não se fizerem direito — respondeu Jasper. Call ficou imaginando o que isso poderia significar. Será que a pessoa tinha que desenvolver uma segunda pálpebra, como um lagarto?

— Ok, então a primeira dica é, se você gosta de uma garota, você tem que ficar encarando — disse Call.

— A dica número dois — continuou Jasper — é fazer que sim com cabeça para tudo que ela disser, e rir muito.

— Rir dela? — disse Tamara, duvidosa.

— Como se ela fosse hilária — disse Jasper. — Garotas gostam de achar que estão seduzindo você. Dica três: jogar olhares para ela.

— *Jogar olhares?* — repetiu Aaron, incrédulo. — O que isso significa, exatamente?

Jasper se endireitou, jogando o cabelo para trás. Ele baixou os cílios e encarou os três diretamente, com a boca curvada para baixo, em uma carranca sombria.

— Você tá parecendo um maluco — disse Call.

Jasper cerrou ainda mais os olhos, fechando um deles e encarando com o outro.

— Agora você parece um pirata — disse Tamara.

— Funciona com Celia — disse Jasper. — Ela fica toda derretida quando eu faço isso.

— Ela deve gostar de piratas — disse Aaron.

Jasper revirou os olhos.

— A dica quatro é ter o corte de cabelo certo, mas obviamente isso não tem mais jeito no caso de vocês.

— Não tem nada de errado com o meu cabelo! — disse Aaron.

— O seu está ok — disse Jasper. — Mas o de Call parece que foi cortado com uma pedra afiada.

— Tem uma dica cinco? — perguntou Tamara.

— Compre um calendário com fotos de gatinhos pra ela — respondeu. — Garotas adoram calendários de gatinhos.

Devastação latiu. Tamara soltou uma gargalhada, rolando para o lado do sofá e levantando os pés. Call achava que nunca a tinha visto se divertir tanto.

— Ah, e se sua mente vagar enquanto ela estiver falando, você deve dizer que se distraiu com a beleza dela — acrescentou Jasper. — E o que quer que ela esteja vestindo, diga que é sua cor preferida.

— Ela não vai perceber se você tiver cores favoritas diferentes? — perguntou Aaron.

Jasper deu de ombros.

— Provavelmente não.

Os risinhos de Tamara estavam se transformando em soluços.

— Jasper — disse ela. — Posso te pedir um favor?

— Sim?

— Nunca goste de mim desse jeito.

Jasper pareceu indignado.

— Vocês não entendem — disse ele, se levantando. — Bem, minha missão aqui já foi cumprida. Já pedi desculpas e já dei as dicas.

— *E* prometeu fazer Celia procurar informações úteis — disse Call.

Jasper assentiu.

— Vou falar com ela.

— Não se esqueça de jogar olhares! — Tamara gritou do sofá quando Jasper chegou na porta. Ele fez uma careta ao abrir, em seguida franziu a testa.

— Tem um bilhete preso aqui — disse ele, pegando um pedaço de papel que estava preso à porta. — É para Call e Aaron.

Era um bilhete dobrado, escrito com uma letra tortuosa. *Callum Hunt e Aaron Stewart*.

— Pode me dar — disse Aaron, ficando de pé. Mas Jasper, com um sorriso de lado, já estava tentando abrir.

— Ai! — disse ele, tomando um choque. O papel tinha emitido uma pequena faísca, como um pulso elétrico.

— Está enfeitiçado — disse Tamara, soando contente. — Só Call e Aaron podem abrir.

Jasper pareceu impressionado e com um pouco de inveja.

— Legal — disse ele, jogando o bilhete para Aaron. — Até mais tarde —

E desapareceu para o corredor.

Aaron abriu o bilhete quando a porta se fechou. Suas sobrancelhas baixaram ao ler.

— É de Anastasia Tarquin — disse. — Ela está pedindo para que nós a encontremos no Portão da Missão às dez para meia-noite na sexta-feira. Ela mandou levarmos Devastação.

— É no mesmo dia do teste — disse Tamara, sentando ereta. — Sobre o que ela quer conversar?

— Não acho que queira conversar — falou Aaron, ainda olhando para o papel. — Acho que é quando vamos fazer o que ela pediu. É quando vamos roubar os animais Dominados pelo Caos.

CAPÍTULO TREZE

Faltavam quatro dias para sexta-feira, e Call, Aaron e Tamara passaram todo o tempo se preocupando alternadamente com o plano de Alma e com o teste. Mestre Rufus dizia coisas enigmáticas durante as aulas e passava trabalhos bizarros. Naquela semana, Call aprendeu a (A) pegar um fogo que Tamara lançou contra ele, (B) respirar depois que Aaron usou magia do ar para sugar todo o seu oxigênio, e (C) secar as roupas depois que o Mestre Rufus o ensopou. A última parte, infelizmente, não foi com mágica.

Não ajudou o fato de que estavam todos mal-humorados. Tamara não parava de olhar para chamas de velas e lareiras, como se pudesse ver o rosto da irmã no fogo. Aaron olhava em volta no refeitório como se esperasse que todos fossem jogar comida nele. E Call se assustava com sombras. Estava ficando tão sério que até Devastação estava tenso.

E não ajudava o fato de que Jasper continuava inútil na questão dos boatos. De acordo com Celia, Drew não teve muitos amigos. Ele se mantinha discreto, ocasionalmente procurando alunos mais velhos em busca de conselhos sobre como lidar com Mestre Lemuel. Aparentemente, Alex Strike tinha dito a Drew que ele deveria procurar Mestre North, mas ele não o fez. Provavelmente tinha recebido ordens de ficar na dele, sem reclamar com o diretor da escola.

Quanto ao responsável pelo início dos boatos sobre Aaron, Jasper ainda não sabia nada. Ele prometeu que teria mais informações até o fim da semana.

Quando a noite de quinta-feira chegou, Call estava pronto para sexta, por pior que pudesse ser. Qualquer coisa que o deixasse mais perto de respostas. Mas no refeitório, Mestre Rufus disse que teriam uma aula noturna, pois Alma tinha retornado.

— Tamara, é uma aula sobre magia do caos, então... — disse ele, mas ela o interrompeu.

— Quero assistir, vai ser interessante. Poucas pessoas conseguem ver magia do caos pessoalmente, e eu já vi muita. Quero saber mais sobre como funciona.

Ele assentiu, apesar de não parecer inteiramente feliz. Mas como a expressão normal do Mestre Rufus normalmente era sombria, talvez isso não significasse nada, é óbvio.

Após terminarem o líquen e os cogumelos, e os sucos cinzentos, eles se reuniram na sala de sempre. Mestre Rufus andou de um lado para o outro. Alma se apoiou em um pequeno bastão e falou:

— Como sabem, o oposto da magia do caos, ou do vazio, é a alma, a qual vocês aprenderam a ver na última aula. Agora quero que aprendam a tocar a alma de outra pessoa com mágica. Um breve toque, apenas.

— Acho que já disse que sou contra isso — disse Call. — É arrepiante e estranho e nem sabemos o que isso faz com a outra pessoa.

Alma soltou um suspiro sofrido.

— Como disse antes, você só deixa a pessoa inconsciente. Nada mais. Mas se fica muito aflito, sugiro que Aaron comece. Ele pode treinar em você.

— Eu, hum... — Call começou.

Tamara se levantou de onde estava, sentada no chão contra uma parede de pedra.

— Eu faço.

— Não pode! — disso Call. — Além disso, por que todo mundo quer me apagar?

— Deve ter a ver com o seu rosto — disse Tamara, balançando a cabeça como se ele estivesse sendo ainda mais ridículo do que o normal. — Mas o que eu quis dizer foi que Aaron pode praticar em mim. Eu me ofereço para ter a alma tocada.

Aaron lançou um olhar incerto a ela.

— Por quê? Não quero machucá-la!

Ela deu de ombros.

— Quero saber como funciona, e talvez eu não perceba muita coisa, mas talvez sim. E se está preocupado em me machucar, eu falo se isso acontecer.

Call hesitou. Ele se sentiu tolo por se opor àquilo. Aprender a fazer uma pessoa dormir com um toque era incrível, desde que não bagunçasse a alma dela. Se alguém o estivesse irritando, um toque de alma poderia resolver a questão. Ele poderia fazer Jasper desmaiar constantemente.

MAGISTERIUM – A CHAVE DE BRONZE

— Tudo bem, tudo bem — disse Call. — Eu também quero aprender.

Tamara lançou a ele um olhar reprovador, mas Alma era só sorriso.

— É fácil — disse ela.

Não era. Alma conhecia a teoria, mas nunca tinha feito, e a última vez em que fez um Makar experimentar, tinha sido há quase duas décadas. De acordo com ela, o ato necessitava de uma quantidade enorme de foco, primeiro para ver uma alma, e depois para alcançar um mínimo de caos para tocá-la.

Call foi posicionado ao lado de Alma, para sua irritação, enquanto Aaron ficou com Tamara. A ideia de tocar a alma de alguém que ele mal conhecia o deixava inquieto e estranho.

Mas ele tinha que tentar. Fechou os olhos e tentou fazer o que ela mandou, tentou enxergar sua alma como havia feito com a de Aaron. Mas não era a mesma coisa. Aaron era um de seus melhores amigos. Com ela era como brincar de esconde-esconde quando estava tudo escuro, era tatear aleatoriamente. Mas sem muita intenção, Call acabou conseguindo. Não estava apenas tocando na alma da professora; ele pôde sentir o comprimento prateado da alma debatendo-se como um peixe fora da água. Antes de afastar seus pensamentos, sentiu dentro dela uma força de vontade imensa, muita tristeza e um súbito pavor. Engasgando, ele abriu os olhos a tempo de ver que Alma revirava os olhos.

Ela caiu em uma pilha de travesseiros que o Mestre Rufus havia conjurado de outra área do Magisterium.

Ele olhou para ver Aaron pegando Tamara nos braços enquanto ela desmaiava graciosamente. Aaron a segurou por um instante antes que ela abrisse os olhos, risse e se endireitasse, sorrindo para ele.

Holly Black & Cassandra Clare

Rufus tinha se apressado para o lado de Alma.

— Ela continua inconsciente — disse ele. — Mas está bem. — O mago parecia sombrio. — Bom trabalho, pessoal.

Call tinha conseguido. Tinha tocado a alma de alguém. Só não se sentia bem com isso. Nem um pouco.

↑≈△○ⓐ

A sexta-feira amanheceu. Callum foi acordado por Devastação lambendo seus pés descalços, o que continuava nojento e fazia cócegas. Call girou, ainda meio dormindo, tentando proteger os dedos dos pés, colocando-os sob as cobertas. Mas isso só fez Devastação pular na cama e lamber seu rosto.

— Sai...humpf... sai! — falou Call, cobrindo a cabeça com uma das mãos e empurrando o lobo com a outra. Às vezes, saber por onde a língua de Devastação já tinha passado era pior do que não saber.

Vestindo o uniforme, ainda grogue, Call ficou imaginando se poderia tocar a alma de Devastação para fazê-lo dormir por mais quinze minutos, mas concluiu que por Devastação ser Dominado pelo Caos, sua alma já tinha sofrido o bastante.

Call marchou para a sala compartilhada e bateu à porta de Tamara. Era a vez dela o acompanhar na caminhada matutina. Um resmungo veio de dentro e alguns minutos depois ela abriu a porta, parecendo estar com tanto sono quanto ele, usando sua braçadeira roxa. Isso fez Call se lembrar de buscar a dele. Os dois cambalearam para o corredor, segurando uma coleira que ninguém tinha se incomodado em amarrar em Devastação.

— Hoje é o dia — disse Tamara quando estavam na metade do caminho para o Portão da Missão, apontando para a braçadeira.

— Todos esperam grandes coisas de nós nesse teste, mas eu andei falando com outros alunos e o Mestre Rufus tem passado tanto tempo nos ensinando sobre *responsabilidade pessoal* e ensinando a vocês dois sobre magia do caos que acho que não estamos prontos.

Call estava concentrado em não tropeçar. Sua perna sempre ficava dura pela manhã e era complicado apoiar muito peso nela antes que a musculatura relaxasse. Ele fez que sim com a cabeça. Call sempre achava que não estava pronto para as coisas, mas não gostava de ver Tamara concordando com ele.

— Talvez a gente possa usar magia do caos — sugeriu ele. — Pode ser nossa arma não tão secreta.

Ela riu.

— Certo, se quiser que todo mundo pense que você trapaceou.

— Isso não é trapacear! É a minha mágica, e de Aaron.

Tamara ergueu as sobrancelhas.

— Era isso que você pensaria se não fosse um Makar?

— Provavelmente não — disse Call, sendo razoável. — Mas eu *sou* um Makar.

Ela fez uma careta para ele, que significava que estava irritada, ou entretida. Call nunca sabia ao certo em que direção a expressão pesava; só sabia que Tamara a usava bastante, principalmente perto dele.

Devastação fez suas necessidades enquanto Call absorveu o ar fresco e chutou algumas folhas. Voltaram para dentro do Magisterium, onde descobriram que suas coisas finalmente tinham sido consideradas inofensivas pelos magos e foram devolvidas. Apesar de Call sentir-se tentado a olhar tudo, pegou Miri, guardou a faca na bainha e foi para o refeitório com Tamara. Encontraram Aaron já sentado à mesa, com Jasper e Rafe. O corpo todo de Aaron estava curvado sobre o prato, como se ele estivesse tentando desaparecer.

Tamara sentou em uma cadeira e olhou para Jasper.

— E então? Descobriu alguma coisa útil?

Jasper ergueu uma das sobrancelhas para ela.

— Vá embora, Rafe — disse ele.

— Por quê? — gritou Rafe. — Pelo amor de Deus, por quê? — Ele pegou o prato e mudou de mesa enquanto Jasper o olhava com as sobrancelhas erguidas.

— Não liguem para ele. Sempre fica de mau humor de manhã — disse. — Enfim, eu falei com Celia. Tive que usar todo o meu charme para arrancar alguma coisa dela.

Aaron pareceu alarmado. Call revirou os olhos.

— Por favor, chega de dicas masculinas — implorou Aaron. — Apenas diga o que ela disse, se é que disse alguma coisa.

Jasper pareceu um pouco desanimado.

— Não existem boatos sobre a existência de outro Makar além de vocês dois. Apesar de aparentemente haver muitas conversas sobre vocês, caso estejam interessados em saber. Histórias sobre como derrubaram o Inimigo. Se vão começar a fazer experiências para testar seus poderes. Se vocês têm namorada.

— Por que teriam? — Tamara pareceu chocada.

— Dê um voto de confiança, Tamara — disse Call.

— Só quis dizer que... Bem, não é como se vocês tivessem *tempo* pra isso.

— Se for amor, a pessoa arruma tempo — falou Jasper, olhando com ar de superioridade.

Tamara resmungou.

— E os boatos? Quem começou?

Jasper balançou a cabeça.

— Ainda não sei. Celia disse que achou que talvez fosse um dos alunos mais velhos.

MAGISTERIUM – A CHAVE DE BRONZE

Tamara respirou fundo.

— Acha que pode ter sido Kimiya? — perguntou. — Ela foi péssima com Aaron.

— Mas por que ela inventaria coisas assim? — perguntou Aaron. — Ela me conhece... pelo menos um pouco.

— Acho que não foi ela — disse Call. — Ela agiu como se estivesse chocada pela possibilidade de Aaron não ser quem ela pensava. Não como alguém que já tinha iniciado um boato sobre ele.

Jasper jogou um cogumelo para o alto e comeu.

— Só faz uma semana. Vou descobrir mais coisas.

— Ótimo — disse Aaron. — Talvez a gente consiga algumas respostas se sobrevivermos ao teste hoje.

Call resmungou. Quase tinha se esquecido do teste.

Mestre Rufus os conduziu quando estavam saindo do refeitório. Estava com um sorriso sinistro no rosto e uma bolsa grande no ombro.

— Vamos, aprendizes. Acho que vão gostar do que temos para vocês hoje.

↑≋△○◉

Call não gostou.

Estavam na enorme sala onde muitos dos testes eram realizados, inclusive a luta com dragões no Ano de Ferro. Mas desta vez, o cômodo estava *pegando fogo* — tudo bem, nem todo ele, mas boa parte. Call sentiu o calor envolvê-lo imediatamente, tostando a camada mais superficial do corpo como um marshmallow prestes a queimar.

Chamas saltitavam no meio da sala, mas não de forma aleatória. Estavam dispostas seguindo um padrão. Linhas de chamas corriam paralelas umas às outras, formando o que pareciam trilhas entre elas. Faziam Call se lembrar dos labirintos que já tinha visto em ilustrações de livros, pessoas vagando por emaranhados feitos de árvores e arbustos. Mas este era feito de chamas vivas.

— Um labirinto de fogo — disse Aaron, olhando fixamente. Tamara também encarava, as chamas refletidas em seus olhos. O fogo subia e descia, espalhando faíscas. Call ficou imaginando se Tamara estaria pensando na irmã.

Uma das alunas do Ano de Ouro, provavelmente aprendiz do Mestre North, passou por eles e entregou ao Mestre Rufus três cantis de uma pilha que estava carregando. Rufus assentiu e se voltou novamente para seus aprendizes.

— São para vocês — disse ele, indicando os cantis, cada qual cuidadosamente marcado com iniciais: *AS. CH. TR.* — A água é o elemento oposto ao fogo. Estão todos cheios com uma pequena quantidade de água que vocês podem extrair enquanto navegam pelo labirinto. Lembrem-se de que podem usar tudo e perfurar as paredes ou economizar a sua mágica. Não vou lhes dizer qual é a solução mais sábia. Vocês devem seguir seu próprio julgamento.

Call tinha quase certeza de que Mestre Rufus *estava* indicando o preferível, mesmo que não quisesse admitir.

— A única coisa absolutamente inadmissível é voar sobre o labirinto. Isso resultará em desqualificação imediata. Entenderam? — Mestre Rufus lançou um olhar severo a cada um deles.

Call assentiu.

— Porque isso seria trapacear?

— Além de perigoso — disse Tamara. — O calor sobe. O ar acima do labirinto estará fervendo.

MAGISTERIUM – A CHAVE DE BRONZE

— Isso mesmo — disse Mestre Rufus. — Mais uma coisa: vocês vão entrar individualmente. — Ele olhou longa e duramente para cada uma das expressões de choque dos três. — Não como um grupo, mas sozinhos.

— Espera. O quê? — perguntou Tamara. — Mas temos que proteger Call! Não temos deixado que ele fique um minuto longe dos nossos olhares.

— Pensamos que fosse um desafio em equipe — observou Aaron. — E as braçadeiras?

O Mestre Rufus olhou em direção a alguns dos outros Mestres que estavam com seus aprendizes, preparando-os para o labirinto. Alguns dos alunos mais velhos costuravam seu caminho em meio a eles, entregando cantis, respondendo perguntas. Eram assistentes. Call viu o brilho de pulseiras douradas e prateadas. Viu Alex e Kimiya, que olhou na direção deles e acenou brevemente para Tamara, que não acenou de volta. Seus olhos escuros estavam impiedosos.

— É um desafio em equipe; suas pontuações formarão uma média — disse o Mestre Rufus. — Este teste é para demonstrar que é importante que todos vocês assumam responsabilidade sobre as educações dos outros aprendizes no seu grupo. E ao passo que é importante que saibam como funcionar em grupo, também é importante que saibam funcionar sozinhos.

"Não se preocupem com Call — acrescentou Mestre Rufus. — Preocupem-se com vocês mesmos e com suas notas. Cada um entrará por uma parte diferente do labirinto. O objetivo é chegar ao meio. A primeira pessoa que conseguir isso terá um dia inteiro de dispensa das aulas e poderá ir para a Galeria junto com o resto da equipe.

Call sentiu uma motivação súbita para vencer. Um dia inteiro de folga, nas piscinas termais, assistindo a filmes e comendo doces com Tamara e Aaron. Seria incrível!

Ele também se sentiu grato por estar por conta própria no teste. Era grato pelo que os amigos estavam fazendo, mas não tinha o costume de ficar acompanhado o tempo todo e estava ficando cansado. O que tinham diante de si era um teste, criado e aplicado pelos mestres. Isso significava que *ninguém* estava seguro. Mas, provavelmente, ele não corria mais perigo do que o restante dos alunos.

A voz de Mestre North veio explodindo pelo campo de fogo, amplificada por magia do ar. Ele repetiu as regras, enfatizando a parte sobre não voar, e depois começou a indicar os pontos de partida individuais. Call procurou por sua marca de giz: *BY9*.

— Boa sorte — disse ele a Aaron e Tamara, ambos agarrando os próprios cantis e olhando para ele com preocupação. Call sentiu uma onda de calor, e não foi por causa do fogo. Ambos os seus amigos estavam prestes a entrar em um labirinto em chamas, e ambos estavam preocupados com ele, e não com si próprios.

— Cuidado — disse Aaron, dando um tapinha no ombro de Call. Seus olhos verdes eram tranquilizadores.

— A gente consegue — disse Tamara, parte do seu antigo entusiasmo de volta. — Estaremos nos divertindo na Galeria logo, logo.

Ela e Aaron assumiram os respectivos lugares. Call ouviu a voz do Mestre North se elevando sobre os estalos e o clamor das chamas.

— Em suas marcas. Preparar. Valendo!

Os aprendizes dispararam para o labirinto. Havia múltiplas trilhas a percorrer. Call seguiu a própria rota, que o levava para as profundezas do fogo. As chamas ardiam ao seu redor. Os outros alunos eram sombras através do fogo laranja e vermelho.

O labirinto bifurcava em dois caminhos diferentes. Call escolheu o esquerdo aleatoriamente e o seguiu. Seu coração batia forte e sua garganta parecia queimar com o ar superaquecido que ele inalava. Pelo menos não tinha fumaça.

Fogo quer queimar. Ele se lembrou de sua própria resposta irônica naquela primeira vez em que ouviu o poema. *Call quer viver*. Naquele momento, o ardor das chamas diminuiu e Call pôde olhar através do labirinto.

Não viu ninguém. Seu coração acelerou quando percebeu que nenhum outro aluno era visível. Ele parecia sozinho ali dentro, apesar de ainda conseguir ver os Mestres do lado de fora, junto às paredes.

— Aaron? — chamou. — Tamara?

Ele apurou os ouvidos para conseguir escutar acima dos estalos do fogo. Teve a impressão de ter captado seu nome, suave como um sussurro. Ele avançou em direção ao som, exatamente quando as chamas ao seu redor ergueram-se outra vez, agora ardendo tão altas quanto postes de telefone. Ao quase ser atingido por uma explosão de chama, Call cambaleou; a ponta de uma de suas mangas queimava. Ele apagou a brasa com um tapa, mas seus olhos ardiam, quase cegos, e ele estava tossindo muito.

Ele alcançou o cantil e o abriu com o polegar, esperando ver o brilho familiar da água. Água da qual pudesse extrair, cujo poder ele pudesse usar para reduzir a chama.

Mas estava vazio.

Call sacudiu o cantil perto do ouvido, torcendo para estar errado, torcendo para ouvir o ruído familiar de líquido. Ele sacudiu a

Holly Black & Cassandra Clare

boca do cantil sobre a mão, torcendo por uma única gota. Não tinha. Não havia nada dentro dele, exceto um pequeno buraco na base. Parecia ter sido furado.

— Mestre Rufus! — gritou ele. — Meu cantil não tem água! Você precisa parar o teste!

Mas as chamas só aumentavam ao seu redor. Uma explosão voou em sua direção e ele teve que pular para o lado para evitá-la. Call tropeçou e caiu violentamente sobre um joelho, e por pouco não deu de cara com uma parede de fogo. Uma dor subiu pela lateral do corpo. Por um momento, ao se levantar, Call não teve certeza de que sua perna ruim iria segurá-lo.

— Mestre Rufus! — gritou de novo. — Mestre North! Alguém!

Por que ele achou que ficaria bem sozinho? Por que confiou nos Mestres para garantirem sua segurança? Se Tamara ou Aaron estivessem ali, teria como pegar um pouco da água deles! Mas então seus pensamentos mudaram bruscamente de direção: e se os cantis de Aaron e Tamara também estivessem sem água? E se a pessoa que estava atrás dele quisesse se *certificar* de que eles não poderiam ajudar de jeito nenhum?

Tinha que encontrá-los.

Call começou a andar novamente, tentando ignorar o calor que crescia ao seu redor. Bolas de fogo se soltavam de tempos em tempos e voavam em direções aleatórias, como labaredas. Ele desviou de uma ao dobrar uma esquina. Virou mais uma e se viu diante de uma parede de fogo.

Estava em um beco sem saída.

Call freou de repente e virou, pronto para refazer os passos, mas encontrou mais uma parede. O labirinto tinha mudado de forma e parecia buscá-lo com línguas de fogo, queimando-o, deixando o ar com cheiro de cabelo e tecido queimados.

O uivo agoniado de Call foi engolido pelo rugir das chamas. *Óbvio* que o labirinto mudava de forma. Do contrário não haveria necessidade de terem água — tinha que haver pontos em que fosse necessário fazer mágica.

Naquele momento uma das paredes se aproximou. Call pôde ver os rebites de metal em suas botas brilhando em um vermelho alaranjado. A não ser que quisesse virar churrasco, tinha que encontrar uma maneira de sair dali. Não podia voar; Tamara tinha razão, estaria ainda mais quente no ar acima das chamas.

Ar. *Calma*, Call pensou. *Fogo precisa de ar, certo? Fogo se alimenta de ar.*

Ele teve uma ideia.

Ele esticou sua mão esquerda, do jeito que havia visto magos fazerem quando estavam invocando poder para seus feitiços. Como já tinha visto Aaron fazer. Ele esticou, além do fogo ao seu redor, além da pedra sob seus pés. Além da água correndo nos rios e riachos muito acima deles. Além do ar. Ele tocou no espaço que existia e no que não existia, alcançando além do nada. O coração do vazio.

O calor do fogo esmaeceu. Ele não conseguia mais sentir sua pele queimando e ardendo. Aliás, estava com frio. Um frio como o do espaço sideral, onde não havia calor, apenas o nada. No centro de sua palma, um espiral preto começou a dançar. Elevou-se de sua pele como um redemoinho de fumaça libertada.

Fogo quer queimar.

Ar quer levitar.

Água quer correr.

Terra quer unir.

Caos quer devorar.

O caos se ergueu da mão de Call, cada vez mais veloz. Tinha se transformado em um tornado preto, girando ao redor de seu pulso e da mão. Ele conseguia senti-lo, espesso e oleoso como areia movediça que o sugaria para baixo. Ele ergueu a mão ainda mais, o mais alto que conseguia, até alcançar acima do topo das chamas.

Devore, ele pensou. *Devore o ar*.

A fumaça explodiu para fora. Call engasgou quando um ruído que parecia uma explosão sônica perfurou o ar. As chamas começaram a sacudir de forma selvagem, de um lado para o outro enquanto a fumaça preta corria sobre elas, se espalhando como uma camada de nuvem, devorando o oxigênio. Fogo precisa de oxigênio para sobreviver. Call tinha aprendido isso na aula de ciências. Seu caos sombrio estava comendo o oxigênio que cercava as chamas.

Ele conseguia ouvir outros barulhos agora: outros aprendizes, gritando de surpresa e medo. As chamas emitiram um ruído como se estivessem sendo viradas do avesso — em seguida desapareceram, sucumbindo em pilhas de cinzas queimadas. De repente toda a sala era visível — Call podia ver os outros alunos espalhados pelo chão, alguns agarrando seus cantis, todos olhando em volta, chocados.

A fumaça provocada por Call ainda pairava no ar. Escura e sinuosa, parecia ter dilatado com o ar que engoliu. Call começou a engasgar, lembrando-se de mais uma coisa que aprendeu na aula de ciências. O fogo podia precisar de oxigênio para sobreviver, mas as pessoas também.

A fumaça começou a assentar. Mestre Rufus marchava em direção ao labirinto destruído, gritando:

— Call! Livre-se disso, Call!

Em pânico, Call esticou a mão outra vez, alcançando o caos, tentando puxá-lo de volta para si. Sentiu a energia resistir. Queria empurrar aquilo e se libertar. Queria que o deixasse em paz. Call esticava a mão com tanta força que os dedos estavam se transformando em garras doloridas. *Volte.*

De repente a fumaça escura do caos girou em um redemoinho e avançou para o chão. Call soltou um grito — depois viu que ela ia em direção a Aaron, cuja mão também estava levantada. Se desfez em sua palma e desapareceu.

O Mestre Rufus parou a alguns metros de Call. Aaron abaixou lentamente a mão. Call pôde ver Tamara, suas bochechas manchadas de cinzas, a boca aberta. Sobre os montes de cinzas e os grupos de alunos assustados, Call e Aaron olharam um para o outro.

$$\uparrow \approx \triangle \bigcirc \circledcirc$$

Naquela noite, Tamara foi a única dos três a descer para o refeitório para jantar. Ela levou comida para Call e Aaron — uma bandeja cheia de líquen, cogumelos, batatas e a sobremesa roxa que Call gostava.

— Como foi? — perguntou Aaron.

Ela deu de ombros.

— Foi tudo bem, eu acho. — Tamara sabia mentir muito bem, então Call ficou de olho nela, pronto para acreditar que independente do que ela dissesse, a verdade era muito pior. — Todo mundo queria fazer perguntas, mas foi só isso.

— Que tipo de perguntas? — Call quis saber. — Tipo, se eu sou maluco? Se estou me tornando mau?

— Não seja paranoico — disse Tamara.

— É, eles provavelmente acham que *eu* sou o maluco — disse Aaron, dando um suspiro. A parte mais estranha foi que Call teve que reconhecer que isso provavelmente era verdade. Apesar de Aaron ter salvado todo mundo — salvado *de Call*, o que fez com que Call se lembrasse da lista de Suserano do Mal do ano passado, já que quase matar todos os grupos de aprendizes do Ano de Cobre teria lhe dado muitos pontos —, seu uso da magia do caos provavelmente ainda assustava a todos.

— Está quase acabando — disse Tamara a eles. — Vamos ajudar Alma, e ela vai entrar em contato com Jennifer pra... Ok, não sei o que ela vai fazer, exatamente. Mas vamos saber quem matou Jennifer, e isso significa que vamos saber quem está atrás de você. Então comam. Vão precisar de força.

— Então, quem ganhou? — perguntou Call.

— Quê? — Tamara pareceu desconcertada. — Como assim?

— Quem ganhou o teste? — repetiu Call. — Quem vai poder ir para a Galeria? Quer dizer, eles escolheram a pessoa mais próxima do centro ou resolveram desistir de tudo?

— Nós vamos — disse Tamara lentamente, como se estivesse tentando ser muito solidária com alguém a quem estava dando uma má notícia. — Você ganhou, Call.

— Ah — disse ele, sem saber muito bem como receber a notícia. Ninguém o parabenizou na hora. Mestre North viera rugindo sobre o que sobrara após o fogo para sacudir os ombros de Call e perguntar no que ele estava pensando. Entretanto, quando Call mostrou a ele o cantil vazio com o buraco no fundo, sua expressão ficou séria e estranha.

Mestre Rufus tinha olhado em volta com frieza, como se estivesse pensando no que faria com o culpado. Call sabia como era a sensação, apesar de ter se preocupado por um instante que o olhar do Mestre Rufus tivesse repousado em Anastasia.

Às vezes quando Call olhava em volta do refeitório, achava impossível que alguém que quisesse matá-lo pudesse se misturar a todo mundo.

— Tamara tem razão — disse Aaron, dando uma garfada generosa no líquen. — Precisamos descansar e nos preparar para hoje à noite. Já usamos magia o suficiente e preciso de um cochilo, ou vou cair no sono abraçando um urso Dominado pelo Caos e serei devorado.

Call, que dormia abraçado com um lobo Dominado pelo Caos com frequência, riu. Em seguida atacou a comida. Ele e Aaron comeram tudo bem rápido. A essa altura ele também estava se sentindo grogue e tonto, como se a pele que habitava não fosse sua. Lembrou-se de Aaron passando mal e desmaiando após usar intensamente a magia do caos, mas ele nunca tinha se sentido assim antes. Ele se levantou e foi deitar.

Quando acordou, enrolado nos lençóis, ainda de uniforme e sapato, sequer conseguia se lembrar de ter deitado. Do lado de fora do quarto ouvia-se vozes. Já devia estar na hora.

Call se levantou e foi para a sala compartilhada.

Alex estava sentado no sofá, conversando com Tamara. Ambos vestiam roupas pretas, como ninjas. O cabelo castanho de Alex estava meio escondido sob um boné escuro e Tamara usava um casaco preto grande demais e legging. Seu cabelo estava preso em tranças sedosas amarradas com laços pretos. Alex sorria para ela de um jeito diferente, um jeito que Call só o tinha visto sorrir para Kimiya.

Call não gostou disso.

— Minha madrasta me mandou ajudar — disse Alex, voltando-se para Call. — Vocês têm certeza de que querem fazer isso? Participar dessa... travessura noturna? Isso é muito sério.

— Eu não sabia que você ia participar — disse Call, e Alex piscou como se estivesse surpreso pelo tom de Call. Tamara lançou a Call um olhar reprovador.

— Ele é enteado de Anastasia — disse Tamara. — E é mago do ar. Será útil.

Aaron entrou na sala, também de preto, apesar de não ter coberto o cabelo brilhoso. Aaron fez um gesto de cabeça para Call.

— Deixamos que dormisse o máximo possível.

— Vocês usaram muita magia do caos no teste hoje — disse Alex. — Estou vendo que vou ter dificuldade de acompanhá-los.

Call e Aaron trocaram um olhar que dizia que nenhum dos dois estava exatamente ansioso para ser convocado a usar esses poderes de novo. Call estava completamente esgotado.

— É melhor vestir uma roupa escura — disse Alex. — Não queremos ser vistos no caminho.

Call voltou para o quarto e vestiu seu jeans preto e o casaco mais escuro que encontrou, que era azul. Quase se esquecendo, pegou Miri que estava em cima da cabeceira e guardou a faca no cinto da calça jeans. Então acordou Devastação, que dormia em cima da cama com a língua apoiada na colcha.

— Vamos, garoto — disse Call. — Hora da aventura.

Voltou para a sala com Devastação atrás de si. Alex abriu a porta para o grupo sair. Com um olhar na direção de Call, Tamara o seguiu.

Já no corredor, Call olhou em volta, surpreso. Estava tudo normal — as paredes de pedra, os corredores que se estendiam dos

MAGISTERIUM – A CHAVE DE BRONZE

dois lados —, mas havia um estranho brilho no ar, como se vibrasse em volta deles.

— Camuflagem — disse Alex em voz baixa. Ele estava com a mão direita levantada, os dedos fazendo uma série de movimentos complexos, como se ele estivesse tocando piano. — Alterar a estrutura molecular do ar torna mais difícil que as pessoas nos vejam.

Call olhou para Tamara com uma sobrancelha erguida, como se buscasse confirmação. Ela deu de ombros, mas nitidamente estava impressionada. O que também era irritante — se alguém tinha feito alguma mágica impressionante naquele dia, definitivamente tinha sido Call.

Embora ele provavelmente não devesse pensar desta forma.

Mas não pôde deixar de imaginar se Aaron estava pensando o mesmo, considerando que um segundo depois uma brasa brotou da mão de Aaron, iluminando o caminho.

— Vamos — disse ele. — Passaremos pelo Portão da Missão?

Alex assentiu e o grupo foi em frente, a luz de Aaron projetando as sombras de cada um deles contra a parede — Alex, depois Aaron, depois Call e Tamara, e, atrás deles, Devastação trotando.

Encontraram apenas algumas pessoas no caminho para o portão, e exatamente como Alex falou, ninguém pareceu ser capaz de vê-los, ou mesmo suas sombras. Celia estava com Rafe, falando em voz baixa. Quando passaram por ela, Celia franziu a testa, mas, fora isso, não reagiu. Mestre North também passou por eles com o rosto enterrado em uma pilha de papéis. Não ergueu os olhos nenhuma vez.

Call se perguntou quando o Mestre Rufus ensinaria a eles um truque tão incrível quanto esse e percebeu, melancolicamente, que a resposta provavelmente era nunca. Mestre Rufus não era o tipo de pessoa que apostaria contra a sua capacidade de encontrar os próprios aprendizes.

Eles saíram pelo Portão da Missão. Devastação, acostumado a ser levado por esse caminho para passear, foi na direção habitual das árvores e do campo de ervas daninhas. Alex gesticulava na outra direção.

— Por aqui, Devastação. — Call disse no tom mais alto que ousou. — Vamos, garoto.

— Para onde vamos? — perguntou Aaron.

— Alma está esperando — disse Alex, conduzindo-os pela estrada de terra que, no começo de cada ano letivo, o ônibus pegava para subir a colina até o Magisterium. Era uma descida íngreme, porém rápida. Muito mais rápida do que fugir pela floresta, como fizeram no Ano de Cobre, ou aos tropeços, em pânico, como Call e Tamara fizeram depois que Aaron foi sequestrado no Ano de Ferro.

Estradas são ótimas, Call pensou contemplativo, jurando pegá-las com mais frequência. *Menos sequestros por elementais, mais estradas.*

Dobraram uma esquina e viram uma van perto de um monte de pedras. Alma se debruçou para fora da janela.

— Não achei que fossem ter coragem de aparecer — disse ela resmungando. — Entrem.

Alex abriu a porta da van e eles se empilharam um em cima do outro. Assim que a porta se fechou, Alma deu partida no carro, dirigindo mais depressa do que Call julgava necessário. Devastação começou a ganir.

— Então, acho que conseguiremos ultrapassar o caminhão na Rodovia 211. A questão é como fazê-lo parar sem ser jogando para fora da pista. E antes que digam "e daí, qual o problema?", isso pode machucar os animais — Alma tinha o péssimo hábito de olhar para eles enquanto falava, checando suas reações. Call queria muito, muito lembrá-la de que precisava olhar para a estrada, mas tinha medo de surpreendê-la e fazer com que ela virasse o volante e os jogasse de um penhasco.

— Tudo bem — disse Call no fim das contas.

— Por que você não podia fazer isso sozinha, você e o resto da Ordem da Desordem? — perguntou Alex.

Alma suspirou, como se a pergunta fosse muito boba.

— De quem você acha que vão desconfiar primeiro? A Ordem atua na floresta em torno do Magisterium desde que fomos autorizados a estar ali, capturando, marcando, e às vezes até abatendo animais Dominados pelo Caos. Mas só quando necessário. A Assembleia sabe que somos firmemente contra o extermínio dessas valiosas cobaias, então nossos membros precisam de álibis à prova de balas.

— É tocante, o quanto ela se importa. — Aaron suspirou para Call, em um raro momento de desdém. Call concordou. Devastação não era uma cobaia valiosa; ele era um lobo de estimação. Call gostaria que todos os animais tivessem opções melhores do que morrer ou serem usados pela Ordem.

— Mas e o seu álibi? — perguntou Tamara.

— Eu? — disse Alma. — Bem, os registros mostram que eu estava com Anastasia Tarquin, respeitável integrante da Assembleia, esta noite. Ela foi gentil o suficiente para me conceder acesso aos elementais e perdemos a noção do tempo tentando alguns experimentos novo.

— E *nós*? — perguntou Call, voltando ao que considerava ser a questão central.

Holly Black & Cassandra Clare

— Vão ficar de tocaia — disse Alma, saindo da estrada e entrando na via expressa. Passaram voando pelo posto de gasolina onde, no ano anterior, ficaram esperando o mordomo de Tamara, Stebbins, vir buscá-los. A via expressa se abria diante deles. Por um instante, Call fantasiou que estivessem indo a algum lugar só para se divertir. Mas talvez não com Alma. Isso seria estranho.

Alma soltou uma risada cacarejada e parou. Eles saltaram da van, felizes com o ar fresco. Estava frio, e o ar gelava as bochechas e o queixo de Call enquanto ele olhava em volta. Estavam em uma bifurcação, onde a Rodovia 211 e a Rodovia 340 se dividiam. As duas estavam desertas, e a lua, enorme e clara, iluminava as linhas brancas que pintavam o centro do asfalto.

Alma olhou para o relógio.

— Estão a mais ou menos cinco minutos daqui — disse ela. — Não mais do que isso. Temos que descobrir como bloquear a passagem. — ela olhou para Call, como se o imaginasse como um bloqueio adequado na estrada.

— Eu faço — disse Alex e caminhou até o trecho de grama na frente de onde as estradas se dividiam.

— O que ele vai fazer? — sussurrou Tamara, mas Call apenas balançou a cabeça. Ele não fazia ideia. Ficou olhando enquanto Alex erguia as mãos e fazia os mesmos movimentos de pianista.

Cor e luz giraram na frente dele. Alex se inclinou para trás enquanto elas se expandiam. Call assistiu aquilo com uma pontinha de inveja. Aquilo era o que ele sempre achou que a mágica fosse, não a escuridão mortal que se derramava das suas mãos.

— Lá estão eles — sussurrou Tamara, apontando. Como não podia deixar de ser, ao longe Call pôde ver um grande caminhão preto vindo na direção deles, do lado leste. Os faróis pareciam cabeças de alfinete brilhando ao longe, mas aproximavam-se muito rapidamente.

— Depressa, Alexander! — Alma se irritou.

Alex cerrou os dentes. Ele visivelmente estava dando tudo de si, e Call sentiu uma pontada de arrependimento por ter sido impaciente com ele. A luz na frente de Alex tinha escurecido e a cor pareceu solidificar em formas — uma mistura de barreiras de trânsito cor de laranja e amarelas com as palavras ESTRADA FECHADA em letras grandes e pretas. Eram enormes e pareciam assustadoramente sólidas.

— Alex, sai daí! — gritou Tamara. Parecendo cansado, Alex cambaleou em direção a eles. Alma os puxou para trás da van ao mesmo tempo em que o caminhão chegou, parando diante da barricada.

O caminhão em si era um veículo inclassificável com dezoito rodas, sem nada escrito na lateral. Quando o motorista saiu da cabine, parecia totalmente não mágico. Estava até de boné. Então foi até a barricada e franziu o rosto para ela. Do caminhão veio uma voz.

— É só tirar da frente! — disse a voz, nitidamente muito irritada e acostumada a ser obedecida. — Temos hora!

— E se essa estrada estiver fora de uso? — perguntou o sujeito de boné. — As pessoas não colocam essas coisas sem motivo.

Call não sabia ao certo se a ilusão seria capaz de suportar contato físico. Ele tinha que fazer alguma coisa. Olhou para Alma e semicerrou os olhos, de repente ficando muito consciente de por que ela tinha ensinado a ele e Aaron sobre o toque da alma.

— Temos que apagá-los — sussurrou ele.

Aaron assentiu, mas ele já estava parecendo um pouco esgotado. Os dois tinham usado muita magia do caos naquele dia e não seriam capazes de usar um ao outro como contrapesos se ambos estivessem igualmente exaustos. Teriam que tentar não ir longe demais.

A pele de Call formigou. O caos surgiu entre seus dedos com facilidade, por mais que estivesse cansado. Com desconforto, imaginou que talvez a exaustão tornasse a magia mais fácil. Talvez o caos o devorasse sem que ele notasse.

O outro homem saltou da cabine de cara fechada para o motorista. Estava vestido de verde-oliva como os outros membros da Assembleia. Call se lembrou de tê-lo visto antes, mas não exatamente onde. Tamara respirou fundo. Ela conhecia o sujeito, obviamente. Ele provavelmente era alguém importante.

Alex tinha arregalado um pouco os olhos e até Alma parecia pronta para cancelar tudo. Call teve que agir depressa, antes que o pânico os dominasse. Eles tinham vindo aqui para libertar os animais que estavam presos na caçamba do caminhão, animais como Devastação, que corriam perigo. Só de pensar nisso e de ver Devastação agachado na vala, Call foi tomado por uma onda súbita de coragem.

— No três — sussurrou ele para Aaron. — Vamos tocar a alma deles. Você cuida do motorista e eu fico com o de boné.

Os lábios de Aaron se curvaram em um dos lados e Call imaginou se o amigo estaria ansioso para testar o feitiço de verdade. Talvez ele também estivesse pensando nos animais.

Usando sua magia, Call foi em busca da alma do membro da Assembleia. Foi diferente de tocar Alma no ambiente seguro do Magisterium, onde ele poderia levar todo o tempo que precisasse e ela estava preparada para isso. A alma do membro da Assembleia

MAGISTERIUM – A CHAVE DE BRONZE

era escorregadia, difícil de agarrar, como se desviasse dele. Ele quase conseguia vê-la — uma coisa prateada que dava impressão de se contorcer em ondas complicadas. Ele expandiu a extensão do poder com rapidez, sem tempo para refinamentos como tivera antes. Sentiu a magia do caos se conectar, mas pareceu mais um tapa do que um toque.

Pelo menos não foi um aperto dessa vez.

O homem caiu. Quando Call trouxe o foco de volta a si mesmo, estava caído no chão, Aaron e Tamara agachados junto a ele.

— Você sabe quem era aquele? — perguntou Tamara. — Sabe quem acabou de derrubar?

Call balançou a cabeça. Óbvio que não sabia.

— O pai de Jasper — respondeu Tamara.

— Uau — Call sabia que o pai de Jasper fazia parte da Assembleia, até o viu na festa onde Jennifer morreu. Não podia acreditar que tinha se esquecido. Agora entendia as expressões de todos. — Sou incrível! Jasper vai ficar completamente irritado.

Ele e Aaron comemoraram com um *high-five*.

— Você é tão imaturo — disse Tamara, esticando a mão para ajudá-lo a se levantar. Devastação latiu e pulou, colocando as patas no peito de Call. Ele coçou a cabeça do lobo e olhou ao redor. O pai de Jasper estava deitado tranquilamente na pista, a roupa verde oliva espalhando-se ao redor dele sobre o asfalto. De perto, era um sujeito relativamente indefinível, de cabelo castanho escuro e barba aparada rente.

O corpo desmaiado do caminhoneiro tinha sido colocado em uma vala do lado da estrada. Enquanto Call observava, Alex saiu da vala e foi até o pai de Jasper. Levitou um pouco o corpo do homem e começou a movê-lo em direção ao acostamento.

225

Alex parecia exausto, cinza e pálido, como se tivesse esgotado toda sua energia. Call olhou em volta. Onde estava Alma? Ela não deveria estar ajudando Alex?

— Ela está ali. — Aaron apontou, como se tivesse lido os pensamentos de Call. Alma estava na frente da porta do caminhão, fechada por uma corrente e um cadeado enorme. Seu cabelo branco voava ao vento. Ao gesticular, faíscas voavam de suas mãos: magia metálica. O ar cheirava a ferro quente.

— Ah, não — disse Tamara bem na hora em que o cadeado arrebentou e a traseira do caminhão se abriu. Alma agarrou a parte de baixo e empurrou para cima, como se estivesse erguendo uma ponte levadiça.

— Eles estão aqui — gritou ela, e depois berrou.

Uma tempestade de animais Dominados pelo Caos jorrou do caminhão. Devastação soltou um longo uivo quando eles explodiram de seu confinamento — lobos, cachorros, doninhas e ratos, cervos e gambás, até ursos, coisas grandes com olhos multicoloridos e coruscantes.

— Achei que fossem estar enjaulados! — gritou Alma quando os animais começaram a correr em todas as direções. — Depressa! Temos que cercá-los!

Os animais ignoraram o chamado. Alma correu atrás deles, levitando alguns de volta para o caminhão, mas era difícil contê-los.

— Poderíamos fazê-los desaparecer — disse Aaron. — Para o vazio.

— Não! — disse Call. Ele não poderia fazer isso, mesmo que os animais parecessem assustadores. Mesmo que alguns estivessem vindo na direção deles. Eles três e Devastação recuaram para a van, que de repente pareceu muito pequena para Call.

— Rápido — disse Alex, que veio mancando até eles. Os animais se moviam atrás dele, correndo pela estrada, perseguindo uns aos outros. Ao contrário dos animais normais, eram estranhamente silenciosos. Call pôde ouvir um rosnado baixo, mas vinha de Devastação. — Precisamos criar um feitiço de laços. Dar forma ao ar de modo que se faça uma corrente em torno deles.

— Você consegue? — perguntou Call.

Alex balançou a cabeça.

— Estou exausto. — Ele realmente parecia péssimo. Até o branco de seus olhos parecia cinzento.

— Nós também— disse Aaron, indicando a si mesmo, e Call.

Alex se voltou para Tamara.

— Tamara, eu posso ensinar. Não é tão difícil.

— Eu consigo, mesmo que *seja* difícil — disse ela com a voz firme. — Diga o que fazer.

— Uau — disse Aaron. Alguma coisa passou correndo por ele, lustrosa, escura e com olhos ardentes. Ele pressionou as costas contra a van, puxando Call atrás de si. Devastação parecia pronto para avançar, mas Call o chamou de volta com um comando ríspido.

Alex falava com Tamara em voz baixa e ela assentia ao ouvi-lo. Antes mesmo de Alex acabar de falar, ela ergueu as mãos e começou a movê-las. Ela não mexia os dedos como Alex. Parecia mais estar tocando as cordas de uma harpa. Call concluiu que cada um fazia mágica à sua maneira.

Ele quase pôde sentir o poder irradiando de Tamara. Em vez de ar, no entanto, foi fogo que subiu em brasas, em um círculo amplo ao redor dos animais em fuga. Mas mesmo enquanto a cerca estalava, ganhando vida, encurralando a grande maioria dos bichos, o resto deles conseguiu se espalhar. Alguns foram para a floresta, outros na direção de qualquer um que vissem. Agora, apavorados pelo fogo, os olhos dos Dominados pelo Caos pareciam insanos e selvagens. Muitos estavam com os dentes à mostra.

O que acontece quando se tem o caos dentro de si?, Call imaginou. Ele queria usar seu poder e tocar uma daquelas almas, para descobrir o que realmente havia sido feito com aqueles animais. Mas não teve tempo de fazer nada além de reagir.

Uma raposa pulou na direção da garganta de Alma e ela a empurrou para longe. Outra mirou suas pernas. Uma cobra disparou pela grama para baixo da van e desapareceu.

— *Cuidado*! — Alex empurrou Tamara para o lado exatamente quando dois ursos pardos enormes foram para cima da van, seus corpos gigantescos como tanques de guerra. Alex e Tamara caíram no chão quando Call jogou as mãos para o alto para atirar neles o que pudesse, fogo ou caos preto, ele não sabia ao certo. De toda forma, foi como raspar o fundo de um poço seco. Suas mãos tremeram e nada aconteceu.

E então o urso foi para cima dele.

Ele ouviu Aaron gritar quando o animal balançou a pata, jogando Call no chão num único golpe. Call rolou para o lado, espantado, e o urso foi para cima dele, rugindo. Call viu Aaron esticar a mão, mas o mesmo parecia acontecer com ele — apenas faíscas sem força saíam de seus dedos. Nada de magia.

Call se esticou por cima do ombro para alcançar Miri ao mesmo tempo em que Devastação pulou. O lobo Dominado pelo Caos fechou a mandíbula no pescoço do urso, enterrando os dentes no pelo espesso. O urso soltou um uivo rosnado. Devastação foi para as costas dele, enterrando as garras e os dentes. O urso sacudiu fortemente seu corpo pesado, tentando se livrar de Devastação, mas o lobo se segurou. Finalmente, o urso conseguiu derrubá-lo. Devastação caiu no chão com um gemido, e o urso se afastou para o meio da estrada.

Call conseguiu soltar Miri e ficar de pé com dificuldade. Uma olhada rápida garantiu que Devastação estava bem. Aaron tinha encontrado um graveto que estava usando para tentar manter o outro urso longe. Alex, que tinha empurrado Tamara para trás da van, correu de volta para eles, no mesmo instante em que o urso estapeou o graveto da mão de Aaron. Alex empurrou Aaron para fora do caminho e girou para o urso com as mãos esticadas, magia do ar entornando das palmas.

Mas o urso não era um animal comum. Seus olhos giravam em vermelho e laranja enquanto ele usava as garras para atacar Alex, que gritou e caiu ajoelhado. Seu casaco brilhou num tom úmido de vermelho ao luar, com um rasgo no ombro.

— Alex! — Tamara veio correndo em direção a eles. Call poderia ter dito a Alex que ela não ia ficar quieta. Aaron movia as mãos como se tentasse alcançar a magia do caos, mas nada acontecia.

— Aaron! Pega! — gritou Call, lançando Miri para o amigo.

Aaron pegou a faca e empunhou a lâmina contra o urso. Sangue voou em um esguicho quando ela atingiu o corpo da criatura. O urso rugiu, cerrando os olhos. Ao mesmo tempo Tamara se aproximou com mais fogo brotando das mãos.

Encarando o fogo e a lâmina, o urso virou e começou a se afastar rapidamente. Mas o mal já estava feito — a atenção de Tamara tinha sido desviada, e as cercas de fogo tinham começado a cair. Os animais Dominados pelo Caos espalhavam-se ainda mais, e alguns deles avançavam em direção à van com os olhos selvagens vasculhando a noite.

Call foi mancando em direção os amigos ao mesmo tempo em que Alex caiu no chão. Seu casaco estaca ainda mais ensopado de sangue agora. Call ouviu a voz exasperada de Tamara, viu Aaron olhar pra baixo, para as próprias mãos vazias de mágica. Estavam todos esgotados. Não havia nada que pudessem fazer e os animais continuavam vindo.

Mas isso não é exatamente verdade, é?, disse uma vozinha no fundo da mente de Call. Não era como se não houvesse *nada* que ele pudesse fazer. Ele se lembrou do túmulo Dominado pelo Caos do Inimigo. De como tinham escutado sua voz porque sua alma os fez escutar.

Tenho que controlá-los, Call pensou. *Tenho que fazer alguma coisa.*

A alma dele também tinha feito estas criaturas.

— Ei, vocês! — disse ele, a voz saindo fraca e incerta. — Todos vocês! Parem!

Os animais continuaram se movendo. Call engoliu em seco. Ele não podia ser covarde. Estavam todos em perigo. Podiam morrer. Até o pai de Jasper, que estava deitado na vala, desprotegido e, se tivesse sorte, sem ter sido pisoteado por esquilos Dominados pelo Caos.

Call respirou fundo e tocou sua própria alma, uma alma que tinha habitado outro corpo antes do dele. Um corpo que tinha colocado as mãos no caos e colocado essa energia dentro dos animais.

— *Ouçam-me!* — gritou Call. — Dominados pelo Caos! Vocês sabem quem eu sou!

Os animais congelaram. Call também. Podia ouvir seu coração batendo. Estava funcionando? Ele levantou a voz mais uma vez.

— Dominados pelo Caos! Voltem para o caminhão! Obedeçam!

O comando pareceu soar pelo ar mesmo depois que ele parou de falar.

As palavras ecoaram na cabeça de Call. Pontos pretos tinham surgido nos cantos de sua visão. Todos os animais estavam se movendo — parecia que alguns estavam virando, começando a se aglomerar num mesmo sentido —, mas a visão de Call estava borrada. Ele tentou alcançar Aaron, seu contrapeso, mas a magia de Aaron estava tão fraca que ele não conseguiu encontrá-lo. Estava sozinho no escuro sem Aaron. Desesperado, se permitiu cair de costas no nada.

CAPÍTULO CATORZE

Call acordou de repente, engasgando. Estava na Enfermaria. O Mestre Rufus falava com alguém, provavelmente Mestra Amaranth. Ela gostava de andar com cobras no ombro, mas era uma excelente feiticeira da cura.

— Não achei que o teste o tivesse esgotado tanto. Tem certeza de que ele vai ficar bem? — perguntou Rufus.

Ela soou como se já tivesse respondido aquela pergunta antes.

— Ele está bem, só está exausto. Os dois meninos usando as respectivas magias daquele jeito, ao mesmo tempo; não sei se deveria ter deixado que continuassem sendo o contrapeso um do outro. O que acontece se os dois forem longe demais?

— Levarei isto em consideração. — Call sentiu a mão do Mestre Rufus ir até seu ombro, e ele manteve os olhos fechados, fingindo dormir. — É nossa obrigação mantê-lo seguro. Temos que mantê-los todos seguros, ou estaremos condenados a repetir o passado.

MAGISTERIUM – A CHAVE DE BRONZE

— Bem, ao menos ele não é tão tolo quanto o jovem Alex Strike ali, que conseguiu cair em um monte de estalagmites. Juro, os alunos do Ano de Ouro se tornam mais tolos na medida em que se aproximam do portão final.

— Soube do acidente — disse Mestre Rufus, sem muito interesse, mas alguma coisa em sua voz fez com que Call pensasse que ele sabia mais do que estava revelando.

Mestre Rufus apertou o ombro de Call e em seguida deixou a Enfermaria. Call ouviu seus passos à medida que se afastava. Manteve os olhos fechados. Em algum lugar do outro lado do recinto, Mestra Amaranth cantarolava, fazendo algo que envolvia vidros tilintando.

Vou contar até trinta, Call pensou. *Depois finjo acordar. Assim ela não vai saber que eu estava fingindo na frente do Mestre Rufus.*

Ele começou a contar... mas acabou dormindo.

↑≈△○◎

Quando acordou de novo, Call viu Tamara diante de si. Quando tentou falar, ela colocou a mão em sua boca. Cheirava a sândalo.

— Consegue levantar? — disse ela num sussurro. — Faça que sim ou que não com a cabeça.

Ele deu de ombros e ela, exasperada, tirou a mão.

— Não acorde Alex e não dê nenhum motivo para a Mestra Amaranth vir até aqui. Ela levou horas para sair.

— Pode deixar. — Call sussurrou de volta e saiu da cama. Suas pernas o sustentaram. Sentia-se muito bem, na verdade. Descansado. Ainda estava com as mesmas roupas de quando tinha desmaiado na via expressa. — O que aconteceu?

— Shhhh. Vamos. — Tamara o levou para fora da Enfermaria. No corredor, Call deu uma última olhada antes de a porta se fechar. Alex aparentou continuar dormindo, com uma atadura no ombro. Mestra Amaranth não estava em lugar nenhum.

Aaron e Alma estavam esperando por eles. Assim como Tamara, Aaron estava com o uniforme escolar. Seus olhos se iluminaram ao ver Call, e ele deu um passo para a frente para lhe dar um tapinha nas costas.

— Você está bem? — perguntou.

— Um pouco dolorido, mas sim, estou melhor — disse Call. Ele olhou para Alma, que usava um vestido flutuante de algodão e casaco cinza longo. Seus braços estavam cheios de curativos.

— Está toda coberta de mordidas de raposa?

A expressão de Alma ficou sombria. Aaron balançou a cabeça e fez um gesto de cortar a garganta para Call, por trás dela.

— Não vamos falar sobre isso! — disse Alma, se irritando.

— Tudo bem. — Call imaginou se Alma teria se arrependido de ter aberto a porta do caminhão. A culpa era basicamente dela por ele e seus amigos quase terem sido mortos por ursos. — Então, o que estão fazendo aqui?

— Vocês cumpriram sua parte do acordo — disse Alma. — Está tudo pronto para eu cumprir a minha.

Isso significava que Jennifer estava em algum lugar por perto. Tinha que estar. Call estremeceu só de pensar. Ele não sabia se estava pronto para ver outra pessoa morta falando. Era muito parecido com a cabeça de Verity Torres e os enigmas. Tinha sido uma coisa muito Suserano do Mal.

O rosto de Aaron era o de alguém com os mesmos questionamentos. Mas Tamara parecia determinada.

— Ótimo — disse ela. — Vamos acabar logo com isso.

Alma começou a marchar pelo corredor e o trio foi atrás. Ao contrário de Alex, ela não parecia interessada em fazer nenhuma magia complexa de ar para escondê-los. Devia ser tarde e os corredores estavam bem desertos. Eles ficaram perto das paredes e se aproveitaram das sombras.

— Alex está bem? — perguntou Tamara.

Call sentiu sua pele formigar. Era normal que ela se preocupasse com Alex, disse a si mesmo, ainda que jamais tivesse prestado atenção nele antes. Não significava nada.

— Ouvi Rufus e Amaranth conversando mais cedo — disse Call. — Ele vai ficar bem. Então, você sabe, pode avisar para Kimiya.

Tamara pareceu confusa.

— Ela não sabe que ele se feriu.

Call acenou.

— Bem, você nunca sabe o que perdeu quando está desmaiado, certo?

— Shh — disse Alma, indicando que ficassem quietos. Tinham entrado na parte do Magisterium onde ficavam os quartos dos Mestres. Atravessaram em silêncio até o de Anastasia.

Alma bateu à porta com três soquinhos rápidos, parou e bateu novamente. Um instante depois Anastasia abriu a porta. Estava com um vestido branco coberto por uma longa capa, bordada com fios pretos. Seu cabelo prateado estava torcido em um coque. Ela acenou para que todos entrassem e, uma vez lá dentro, Call quase engasgou. O local estava imaculado, assim como antes, mas sobre a mesa de mármore no meio do recinto estava Jennifer.

Ela parecia dormir. Seu cabelo preto e longo formava uma poça em volta da sua cabeça. Estava descalça e com o mesmo vestido manchado de sangue da festa. As mãos estavam cruzadas sobre o peito.

— O corpo estava no Collegium desde o assassinato — disse Alma, trancando a porta. — Eles a preservaram contra a decomposição, para quando fosse necessária como evidência.

Call ficou imaginando se teria sido assim que Constantine preservou a cabeça de Verity Torres há tantos anos. Ele tinha a impressão de que, independente do que fizesse, estava cada vez mais próximo da vida e das decisões de Constantine. Era como estar em uma rota de colisão com ele mesmo.

— Não vão notar que ela está desaparecida? — perguntou Aaron.

— Vamos devolver antes que qualquer um do Collegium procure por ela — informou Anastasia.

Call pensou na velocidade com que elementais viajavam e na habilidade específica dos membros da Assembleia em controlá-los. Se Anastasia pegasse um dos elementais do Magisterium emprestado, provavelmente conseguiria devolver Jennifer ao Collegium rapidinho. Mas se ela e Alma conseguiam roubar um corpo do Collegium, então o espião provavelmente conseguiu fazer muitas coisas também.

Afinal, ele ou ela era o maior Makar da geração deles.

— Vou explicar o que precisamos fazer — disse Alma para Call e Aaron. — Vocês terão que aprender uma habilidade relativamente difícil, e rápido.

Call se lembrou de Alma tentando ensiná-los sobre o toque da alma. Foi difícil aprender a fazer alguma coisa com alguém que entende a teoria já tinha visto sendo feito, mas nunca realizado a

MAGISTERIUM – A CHAVE DE BRONZE

ação pessoalmente. Ele e Aaron levaram horas para aprender. Call não tinha certeza de que teriam horas desta vez.

— E você — disse Anastasia para Tamara — precisa impedir que qualquer pessoa procure por Callum ou Aaron.

— Quê? — perguntou Tamara.

— A Mestra Amaranth provavelmente vai checar os pacientes antes de terminarmos. Vá até lá diga a ela que Callum voltou para o quarto e que irá a Enfermaria amanhã se ela desejar. Precisamos ter certeza de que a escola inteira não entre em frenesi procurando por Call enquanto estamos no meio de um experimento mágico ilícito.

Tamara suspirou.

— Tudo bem. Eu vou.

— Um de nós não deveria ir junto com ela? —perguntou Call. Ele não sabia se gostava da ideia de algum deles vagando sozinho pelo Magisterium com um espião à solta. Olhou para Aaron para ver se ele estava pensando a mesma coisa, mas o amigo estava com o rosto pálido, encarando o corpo de Jen sobre a mesa.

— Eu levo Devastação. Pelo menos assim faço alguma coisa, em vez de apenas ficar parada olhando. Detesto não poder ajudar — disse Tamara indo para a porta. Depois virou para Call, sorrindo, as tranças balançando. — Boa sorte na conversa com os mortos.

Depois que Tamara saiu, Call se sentiu muito sozinho. Eram só ele e Aaron, duas senhoras malucas e um cadáver.

— Muito bem — disse ele. — O que faremos?

— Pelo que sei — disse Alma, lembrando a Call que ela provavelmente não tinha tanta certeza —, você precisa imaginar a magia do caos correndo pelo cérebro do morto, como sangue. Você precisa enviar energia caótica para ele, ativando a mente.

237

Parecia difícil. E não muito específico.

— Ativando a mente? — repetiu Aaron. Ele parecia tão espantado quanto Call.

— Sim — disse Alma com mais certeza na voz. — A magia do caos aproxima a faísca da vida, permitindo que o morto se comunique.

Anastasia gesticulou para o corpo de Jen sobre a mesa.

— Call e Aaron. Aproximem-se e olhem para a garota.

Incertos, os dois aproximaram-se da mesa. Os olhos de Jen estavam fechados, mas havia uma mancha de sangue em sua bochecha. Call se lembrou dela rindo na cerimônia de premiação. Parecia incompreensível que nunca mais fosse sorrir ou mexer o cabelo ou sussurrar uma mensagem ou correr pelos corredores.

Era isso que Constantine queria conter, pensou. Essa sensação de coisa errada. A perda de uma vida e de seu significado. Ele tentou imaginar se fosse alguém que realmente amava deitado ali; Alastair, Tamara, Aaron. Era difícil não entender a motivação de Constantine.

Ele forçou a mente de volta ao presente. Entender as motivações de Constantine *não* era o que ele deveria estar fazendo. E sim encontrar o espião.

— Alcancem um ao outro — instruiu Alma. — Usem-se como contrapesos. Vocês carregam em si o poder do caos, do verdadeiro nada. O que estão alcançando é a alma. A verdadeira existência. Usem isso para alcançar Jennifer.

Isso fazia um pouco mais de sentido, Call pensou. Talvez. Ele trocou um rápido olhar com Aaron antes de ambos fecharem os olhos.

No escuro, Call se equilibrou. Agora que ele já tinha praticado, era mais fácil cair naquele espaço interior. Era como se tudo fosse embora muito depressa, até a dor mesmo da perna. Tudo ficava escuro e silencioso, mas de um jeito reconfortante, como se enrolar num cobertor familiar. Ele alcançou e sentiu Aaron presente. A vida de Aaron, sua essência, sua confiança alegre que encobria um núcleo mais sombrio de determinação e raiva. Aaron o alcançou de volta, e Call sentiu a força fluir para dentro de si. Conseguia ver Aaron agora, seu contorno brilhante contra a escuridão.

Outro contorno, mais fraco, pareceu flutuar em direção a eles, com um cabelo que parecia ser branco como se num negativo de foto.

Jen.

Os olhos de Call se abriram e ele quase gritou. Jen não tinha se movido na mesa, mas seus olhos estavam bem abertos, as íris pretas cobertas por uma camada. Aaron também encarava aquilo, chocado e um pouco nauseado.

A boca de Jen não se moveu, mas uma voz seca saiu por entre seus lábios.

— Quem me chama?

— Hum, oi? — disse Call. Quando viva, Jennifer sempre o deixou nervoso. Ela era uma das garotas mais velhas e populares e ele tinha muitos problemas para falar com ela. Mas agora, falar com ela dava nervoso de um jeito totalmente diferente.

— Call e Aaron — prosseguiu ele. — Lembra da gente? Queríamos saber se você poderia nos dizer quem matou você?

— Estou morta? — perguntou Jennifer. — Estou me sentindo... estranha.

Ela também soava estranha — havia um vazio em sua voz. Um vácuo. Call não achava que sua alma estava presente, não de verdade. Era mais como se houvesse traços dela, a lembrança do que foi

Holly Black & Cassandra Clare

deixado para trás quando se foi. Só ouvi-la falar já arrepiava Call de um jeito que ele temia ser capaz de começar a gargalhar de pânico. Seu coração bateu forte e ele sentiu como se não conseguisse respirar. Como poderia contar para ela que ela não estava mais viva?

Ele lembrou a si mesmo que não era realmente *ela*. Não tinha sentimentos que pudessem ser feridos.

— Pode nos contar sobre a festa? — perguntou Aaron, educadamente como sempre. Call olhou para o amigo com gratidão. — O que aconteceu naquela noite?

A boca de Jennifer se curvou na sombra de um sorriso.

— Sim, a festa. Eu me lembro. Eu estava me divertindo com meus amigos. Tinha um menino que eu gostava, mas ele estava me evitando e aí... aí as luzes se apagaram. E meu peito doeu. Tentei gritar, mas não consegui. *Kimiya! Kimiya! Fique longe dele!*

— O quê? — perguntou Call. — O que tem Kimiya? O que aconteceu? De quem ela tinha que ficar longe? Não foi ela que fez isso, foi?

Mas Jennifer parecia perdida em lembranças. Seu corpo começou a se debater, as palavras transformando-se em um grito longo e contínuo.

Call tinha que se concentrar na magia. Ele fechou os olhos e tentou voltar a ver aquele contorno desbotado de Jen, aquela versão de negativo de foto. Conseguiu identificá-la no escuro, desbotada e esfarrapada. Se quisesse, poderia fazê-la falar palavras que não eram dela. Mas ele precisava que ela tivesse a própria voz, e não a dele. Então perseguiu aquelas sobras brilhantes de uma alma, feliz por ela só ter sido preservada por pouco tempo depois que a alma partiu. Ele canalizou mais magia caótica para fortalecê-la.

Quando abriu os olhos, as feições de Jen estavam tranquilas.

— Jennifer, está me ouvindo? — perguntou.

MAGISTERIUM – A CHAVE DE BRONZE

— Sim — disse ela, sua voz seca e sem afeto. — O que ordena?

— Quê? — Call olhou para Aaron, que estava muito pálido.

— Ah, não — disse Anastasia, levando as mãos à boca para cobri-la. Os olhos de Alma tinham se arregalado e ela se esticou como se pudesse impedir algo que já estava feito. — Call, o que você fez?

Call olhou para Jennifer e ela olhou para ele com olhos que estavam começando a girar.

— Call — sussurrou Anastasia. — Ah, não, de novo não... de novo não.

— O quê? — Call estava recuando, uma sensação de choque se espalhando por ele. "*O quê?*" parecia a única coisa que ele conseguia falar ou pensar. — Eu... eu não... eu nunca fiz isso antes...

Mas como Constantine fiz centenas, milhares de vezes.

Jen sentou sobre a mesa. O cabelo peto caindo sobre os ombros brancos como ossos. Seus olhos eram fogo girando.

— Ordene, Mestre — disse ela a Call. — Só desejo servir.

— É você — disse Alma, olhando para Call com horror. — Pequeno Makar... por que ninguém me contou?

Aaron se moveu para bloquear Call dos olhares horrorizados das duas mulheres e da encarada de Jennifer e seus olhos de fogo.

— Nunca deveriam ter sugerido que fizéssemos isso — disse ele furiosamente. — É horrível. Roubar o corpo dela foi horrível.

— Vão embora vocês dois — disse Anastasia. — Cuidaremos disso.

Call sentiu a mão de Aaron em seu ombro, e um instante depois ele tinha sido guiado para fora do quarto e estava de volta ao corredor. Ele puxou as mangas do casaco sobre as mãos. Estava congelando de frio, o corpo todo tremia.

241

— Não tive a intenção de fazer aquilo — disse ele. — Só estava tentando me prender à alma dela.

Os olhos de Aaron ficaram mais suaves.

— Eu sei. Poderia ter acontecido com qualquer um de nós.

— Não poderia — disse Call. — Eu sou o único de nós dois que é o Inimigo da Morte!

Aaron apertou o ombro de Call e soltou.

— Você não é o Inimigo — disse ele. — O Inimigo foi Makar um dia, assim como eu. Talvez tenha sido um acidente quando ele fez isso pela primeira vez. Existe um motivo — disse ele com a voz mais baixa — pelo qual eles todos têm tanto medo da gente.

Call olhou para trás, para a porta fechada do quarto de Anastasia. *Ah, não, de novo não*, disse ela. Será que ela achava que Call já tinha feito antes, ou ela só estava dizendo *Ah, não, outro Constantine não*?

Ele começou a andar de volta na direção do seu quarto, mancando. Aaron o seguiu, com as mãos enfiadas nos bolsos do uniforme.

— Acho que Anastasia sabe — disse Call. — Quem eu realmente sou. Talvez Alma também.

Aaron abriu a boca como se quisesse dizer *Você é Call*, e depois a fechou novamente. Um segundo depois, ele disse:

— Ela o viu controlando todos aqueles animais Dominados pelo Caos ontem. E você falou umas coisas estranhas antes de desmaiar. Quer dizer, nada muito compreensível, só alguma coisa sobre como os animais deveriam saber quem você era.

— Espero que ela descarte isso como um momento extremamente estranho para alguém se gabar — disse Call. — Alex ouviu?

— Não. Ele estava desmaiado.

MAGISTERIUM – A CHAVE DE BRONZE

Pensar em Alex fez com que Call se lembrasse de Kimiya. Ele ficou todo tenso outra vez.

— Temos que encontrar Tamara. Temos que contar que Jennifer falou sobre a irmã dela.

— Kimiya não assassinou ninguém — disse Aaron com desdém. — Além disso, seria muito estranho se ela de repente fosse a maior Makar da nossa geração. Seria uma bela distração dos magos.

— Não... não acho que tenha sido ela — disse Call, tentando entender seus pensamentos embaralhados. A cabeça dele tinha começado a latejar. — Quer dizer, se Jennifer estava chamando Kimiya, ou queria chamar na hora em que morreu, então talvez Kimiya saiba de alguma coisa. Talvez alguma coisa que ela não tenha achado importante antes.

Aaron assentiu.

— Queria que tivéssemos *respostas*, mas pelo menos temos uma pista.

— Aaron? — Call tinha outra pergunta sobre aquela noite e não sabia ao certo se queria a resposta. — O pai de Jasper está bem?

— Viu, você considera Jasper como amigo! — disse Aaron.

— Se o pai dele estiver machucado por nossa causa, não.

— O pai dele está bem. Nós nos certificamos disso antes de o amarrarmos e vendarmos. Eu o ouvi xingando enquanto íamos embora. — Aaron estava sorrindo, como se tivesse vencido uma aposta. Call ficava feliz por um deles ainda conseguir sorrir.

Eles foram até a Enfermaria, mas Tamara não estava lá, nem Alex. A cama dele estava vazia.

A Mestra Amaranth, que estava refazendo uma das camas com magia do ar, lançou um olhar severo a Call.

243

Holly Black & Cassandra Clare

— Queria que alguém por aqui me ouvisse quando mando ficar na cama até eu liberar — falou.

— O que aconteceu com Alex? — perguntou Aaron.

— Eu o matei — respondeu Mestre Amaranth, dando uma risada seca ao ver as expressões deles. — Eu dei permissão para que saísse, na verdade; verifiquei os ferimentos e estavam curados. Ele estava bem quando saiu. Ao contrário de você.

— Você viu Tamara Rajavi? — perguntou Call.

— Vi, ela veio me avisar que você tinha voltado para o seu próprio quarto porque não gosta da Enfermaria. Não sei qual é o problema de vocês, meninos. A Enfermaria é o lugar mais seguro da escola inteira. Os elementais daqui garantem isso.

Call olhou em volta desconfortável. Ele nunca percebeu que havia elementais observando os pacientes na Enfermaria. Considerando a quantidade de vezes em que tinha saído daqui, ele supôs que não eram orientados a impedir que as pessoas entrassem e saíssem. Ele não sabia o que observavam — doenças, talvez —, mas se sentiu melhor quanto a estar inconsciente sabendo que não poderiam simplesmente entrar e atacá-lo, pelo menos não sem disparar um alarme.

— Ela disse para onde estava indo? — perguntou Aaron.

Mestre Amaranth olhou para ele confusa.

— Estamos no meio da madrugada. Presumi que estivesse voltando para o quarto para que todos vocês pudessem dormir um pouco antes das aulas. Agora, Callum, já que voltou, talvez devesse considerar passar o resto da noite aqui.

— Não — disse ele, fingindo não estar com dor de cabeça. — Estou me sentindo bem. *Estou* bem.

— Bem, nenhum de vocês deveria vagar pelo corredor tão tarde assim. Voltem para o quarto. Callum, venha me ver amanhã depois da aula. E nada de magia do caos por alguns dias, ok?

Call, pensando na magia que já tinha usado naquela noite, fez que sim com a cabeça, se sentindo culpado.

Eles voltaram para os próprios quartos. Chegaram à porta e Call estava prestas a abri-la com a pulseira quando ouviram passos pesados no corredor. Call e Aaron se viraram e viram Alex correndo em direção a eles. Estava com os olhos arregalados e tinha um hematoma fresco no rosto.

Ele desacelerou e parou, se curvando sobre as mãos apoiadas nos joelhos enquanto recuperava o fôlego.

— Tamara. — Alex engasgou. — Ele levou a Tamara!

Aaron e Call se olharam confusos.

— Do que você está falando? — perguntou Aaron.

— O espião — disse Alex. — Ele pegou a Tamara.

Call ficou rijo. De repente seu coração batia muito rápido na garganta.

— Do que você está falando, Alex? — perguntou.

— Diga exatamente o que aconteceu. — Aaron parecia tão perturbado quanto Call. — *Exatamente*.

— Eu saí da Enfermaria quando acordei — disse Alex. — Vi Tamara indo para o Portão da Missão com Devastação. Fui atrás dela porque queria agradecer pela ajuda de ontem. Gritei para ela, mas ela não me ouviu. Ela foi para o lado de fora, e já estava escuro. Achei que tivesse visto alguma coisa se mexendo nas árvores, então corri para Tamara, mas não cheguei a tempo. Alguém a pegou. Eu não estava perto o suficiente para ver o rosto, mas foi definitivamente um adulto. Joguei mágica, mas a pessoa lançou um raio imenso de alguma coisa em mim e eu caí. Quando consegui me recuperar e ir atrás deles, já tinha perdido o rastro. — A camiseta azul de Alex estava manchada de sangue onde os curativos estavam, em volta do ombro. Ele provavelmente tinha reaberto o ferimento.

— Preciso que vocês dois vão comigo atrás dele — falou. — Seja quem for aquele cara, é poderoso. Não acho que consigo lutar sozinho.

Aaron e Call trocaram um olhar de pânico.

— Temos que contar para alguém — disse Aaron.

— Não temos tempo. — Alex balançou a cabeça loucamente. — Primeiro vamos ter que convencer as pessoas de que estamos falando a verdade, e até lá, qualquer coisa pode ter acontecido com ela.

Call se lembrou da terrível noite em que Aaron foi levado por Mestre Joseph e Drew. Ele se lembrou do terrível elemental do caos. Naquele dia também não teve tempo de avisar a ninguém. Se tivesse esperado, Aaron teria morrido.

— Tudo bem — disse ele. — Vamos.

Correram atrás de Alex em direção ao Portão da Missão e adentraram na noite. Call corria o mais rápido possível, a perna gritando de dor.

— Por ali — disse Alex, arfando e apontando para uma trilha que seguia pela floresta. O luar iluminava o caminho. De uma forma meio terrível, a noite estava linda, cheia de estrelas e luz branca. Até as árvores pareciam brilhar.

Eles correram para a trilha, finalmente desacelerando quando ela se transformou em pedras e galhos que tornavam correr perigoso. Call tentou imaginar Tamara sendo arrastada por um mago

MAGISTERIUM – A CHAVE DE BRONZE

adulto assustador, alguém que a estivesse ameaçando, talvez machucando. Então tentou não imaginar e uma fúria quase o oprimiu.

— Devastação — disse ele de repente.

Alex, que estava avançando o mais depressa possível, virou.

— Quê?

— Você disse que ela estava passeando com Devastação — disse Call. — O cara também levou Devastação?

Alex balançou a cabeça.

— Devastação correu para a floresta.

— Devastação não faria isso — disse Call. — Ele não abandonaria Tamara.

— Talvez a esteja seguindo — disse Aaron. — Devastação sabe ser sorrateiro; ele é muito mais inteligente do que um lobo comum.

— Deve ser isso que está acontecendo — disse Alex. — Não tenha medo, Call. Vamos pegar esse cara.

Call não estava com medo. Ele vasculhou a paisagem em busca de Devastação. Se seu lobo estivesse com Tamara, eles conseguiriam escapar. Tamara e Devastação formavam um belo time.

— Você falou que era um adulto, certo? — perguntou Call, ignorando o comentário condescendente de Alex. Ele era mais velho do que Call, e provavelmente se considerava mais sábio. Talvez fosse, mas não sabia de tudo.

Call pensou sobre de onde estavam vindo. Tinham deixado Anastasia e Alma com uma Jennifer dominada pelo caos, então não podia ser nenhuma das duas. As duas estavam diante de uma crise totalmente diferente e estranha para resolver. Call não conseguia pensar em nenhum outro adulto que estivesse agindo de forma estranha. Mestre Lemuel? Call não o via há um ano e parecia maldoso desconfiar dele só porque nunca se deram muito bem.

— Pode ter sido um dos membros da Assembleia? — perguntou. — Mas por que levariam Tamara?

A resposta veio assim que ele fez a pergunta em voz alta.

Para me atrair para fora do Magisterium.

— Por que você falou que foi o espião? — perguntou Call a Alex. — Ainda não sabemos quem ele é.

— Bem, faz sentido, não? — disse Alex. — Quem mais seria, se não a pessoa que está tentando machucá-lo?

— O que significa que estamos indo para uma armadilha — disse Aaron. — Vamos ter que ter muito cuidado e fazer muito silêncio. Quem quer que seja, sabe que estamos indo. Provavelmente se certificou de que você o visse, Alex. Consegue fazer aquele truque que nos deixa invisíveis outra vez?

— Boa ideia — disse Alex, erguendo as mãos. O ar girou em volta deles, soprando as folhas.

Call franziu o rosto. Fazia sentido que Tamara tivesse sido levada pelo espião e que ele o tivesse feito na frente de Alex, que logo iria buscá-los e levá-los para fora do Magisterium. Mais ou menos. Fazia *mais ou menos* sentido. Mas como o espião saberia que Alex iria atrás de Aaron e Call em vez dos Mestres?

Como o espião saberia que Alex estava lá?

Isso, por outro lado, tinha uma resposta. O espião, quem quer que fosse, sabia que levar Tamara e Devastação eventualmente tiraria Call e Aaron do Magisterium. Eles iriam procurar a amiga.

Mas eles poderiam ter levado consigo todos os magos do Magisterium.

Pensando bem, Call não se lembrava de ter visto qualquer evidência de explosão do lado de fora. Estava escuro, mas mesmo no escuro não sentia o cheiro de ozônio e madeira queimada que denunciavam o uso de magia.

Ele olhou para Alex e franziu a testa. Estavam longe do Magisterium agora, e estava cada vez mais escuro. A floresta os enclausurava pelos lados e ele não conseguia enxergar a expressão de Alex.

— Este é o caminho para a Ordem da Desordem — disse Aaron, interrompendo os pensamentos cada vez mais perturbadores de Call. — Mas está abandonada. Alma disse que eles foram forçados a sair quando a Assembleia começou a reunir os animais.

— Talvez seja lá que o espião esteja segurando Tamara. — Alex soou animado, mas não como se essa fosse uma grande aventura, e também não como se estivesse em pânico por causa de Tamara. Havia uma ansiedade em sua voz da qual Call não gostou nem um pouco.

A floresta parecia profunda e estranhamente vazia sem os Dominados pelo Caos, ecoando sua ausência. Ocasionalmente, uma coruja distante piava. O vento soprava, empurrando-os. Mas os passos de Call tinham desacelerado e se tornado incertos.

Alex era seu amigo. Quando Call chegou ao Magisterium, Alex foi gentil com ele, apesar de Call ser um garotinho fracote e Alex ser inteligente e legal, cheio de amigos. E Alex desabafou com Call depois de ter seu coração partido por Kimiya. Ele realmente acreditava que Alex gostasse dele.

Mas Alex tinha acesso. Ele era o assistente do Mestre Rufus. Poderia ter obtido o cantil de Call e feito um buraco. Teria tido acesso ao que quer que Rufus tivesse feito para fazer com que suas pulseiras abrissem a sala compartilhada deles; poderia ter usado isso para esconder Skelmis no quarto de Call. Será que Anastasia poderia tê-lo deixado entrar na prisão dos elementais quando esteve lá? Call supôs que sim; ele era enteado dela, afinal. Será que ela teria notado se ele tivesse desaparecido por um instante? E, além disso, no ano anterior, tinha sido Alex quem disse a Call que os magos tinham decidido matar Alastair, apesar de Mestre Rufus ter dito que isso nunca foi verdade.

Mas por que Alex faria isso? Call olhou para seu rosto impassível enquanto seguiam pelo escuro banhado pela luz da lua. Estavam quase na vila da Ordem. Call conseguia ver a clareira na frente, as sombras das instalações.

Ele se lembrou da boca de Jennifer se mexendo, e das suas últimas palavras: *Kimiya, Kimiya, fique longe dele*. Mas perto de quem Kimiya estava na festa? Quanto a quem ela teria que ser alertada?

Só poderia ser contra seus amigos. E seu namorado.

Alex. Não fazia o menor sentido. Mesmo assim. Algo ainda incomodava Call, vinha incomodando desde que viram Alex na porta do quarto. Sem fôlego, parecendo apavorado, com sangue na camisa azul.

Camisa azul. Engrenagens giraram na mente de Call. A imagem de uma foto rasgada, Drew com Mestre Joseph e mais alguém, alguém de camisa azul com listras pretas nítidas descendo das costuras do ombro.

— Estou com frio — disse Call, de repente. — Alex, me empresta o seu casaco?

Alex pareceu confuso. *Aaron* pareceu confuso. Call não costumava pegar roupas de outras pessoas emprestadas. Mas Alex tirou o casaco ainda assim, e o entregou a Call.

Call parou onde estava. A camisa azul de Alex tinha duas linhas pretas nos ombros.

Os outros dois meninos pararam e olharam para ele. A expressão de Aaron era de preocupação.

A de Alex não.

— Alex — disse Call com a voz tão calma quanto foi capaz —, como você conheceu Drew?

Alex levantou a cabeça lentamente.

— Por que você se importa? — perguntou ele. — Você o matou.

Aaron parou onde estava. O vento uivou pelos galhos das árvores que os cercavam.

— Por que você diria isso, Alex? — Ele olhou de Call para Alex. — O que está acontecendo?

— É ele — disse Call, sentindo-se entorpecido. — Alex é o espião.

Alex deu um passo em direção a Call. Aaron esticou a mão, como se quisesse impedi-lo de se aproximar mais.

— Afaste-se de Call — alertou. — Sou um Makar, Alex. Posso machucá-lo feio.

Mas o menino mais velho o ignorou.

— Drew era como se fosse meu irmão — disse Alex. — O Mestre Joseph me recrutou no meu Ano de Cobre, precisava de um mago do ar talentoso. E não havia ninguém mais talentoso do que eu. Até vocês dois aparecerem.

Call respirou fundo.

— Meu pai era velho — disse Alex. — Mal notou quando entrei no Magisterium. Então Joseph se tornou meu pai. Ele ensinou a mim e a Drew juntos. Nos deu aulas extras. Por isso me tornei bom o bastante para ser assistente de Rufus. E meu Deus, como Joseph riu quando contei isso para ele. — Um sorriso repartiu o rosto bonito de Alex. — Foi mais difícil enganar Anastasia. Mas ela também caiu na minha cena de bom enteado. Estava ocupada demais fingindo se importar com meu pai para prestar atenção em mim. — Os olhos dele ardiam. — Enquanto isso, Joseph me contou tudo. Ele me contou a verdade sobre o Inimigo da Morte. Ele me contou sobre *você*.

— Então você sabia quem eu era esse tempo todo? — perguntou Call.

Alex mal pareceu ouvi-lo.

— Sabe o quão ingrato você é? — disse Alex. — Joseph se importa com você mais do que com qualquer outra coisa. Vocês dois têm poder, mas você, Call, você é especial. Sabe o que significa ser especial? Tem ideia do que está jogando fora?

— Se ser especial significa ser como você — disse Call —, então eu não quero.

O rosto de Alex se contorceu. A mão de Aaron brilhou de forma protetora, o fogo já crescia em sua palma, mas, naquele instante, sombras explodiram da floresta, de ambos os lados deles. Adultos com roupas e máscaras pretas cobrindo seus rostos. Mãos fortes e braços agarraram Call e Aaron.

— Levem-nos até a vila — disse Alex.

Call foi empurrado para a frente, tropeçando. Ele e Aaron foram conduzidos violentamente ao longo do caminho. Não fazia ideia de quem o estava segurando — não era um Dominado pelo Caos; Alex não podia controlar um Dominado pelo Caos.

Ou podia? *O maior Makar da sua geração.*

Não, se Alex fosse usuário do caos, ele teria se gabado disso, Call tinha certeza. Pelo visto uma pessoa não precisava ter nada a ver com o caos para ter ambições de Suserano do Mal.

CAPÍTULO QUINZE

Call tentou se contorcer para fora das garras das pessoas que o seguravam, mas não conseguiu. Eram fortes demais. Ele tentou trazer fogo para as mãos, mas assim que elas faiscaram, alguém o pegou pela nuca e ele perdeu a concentração. A chama se extinguiu.

Um instante depois ele foi arremessado na grama no centro da vila abandonada da Ordem da Desordem, suas construções vazias parecendo sombrias ao luar. Havia trouxas, comida e uma pequena fogueira.

Alex não estava trabalhando sozinho. As figuras mascaradas, quem quer que fossem, deviam estar esperando a invocação dele.

Call rolou para o lado, procurando por Aaron. Ele também estava na grama; uma figura mascarada corpulenta tinha o pé em suas costas. Call tentou se levantar, mas foi empurrado novamente para o chão.

— Deixem ele sentar — disse a voz de Alex. Call lutou para se ajoelhar e ver Alex caminhando em direção a eles. Uma enorme luva de cobre estava em seu braço, cobrindo sua mão até a altura do cotovelo.

O Alkahest. O assassino de Makaris.

O próprio Call tinha usado essa ferramenta para destruir o corpo de Constantine Madden. Não conseguia imaginar o que o seu poder poderia fazer com uma pessoa viva. Pegaria o caos de dentro da sua alma, ou de Aaron, e o usaria para destruí-los de dentro para fora.

— Assustado, Makar? — Alex moveu os dedos metálicos do Alkahest e depois riu da cara de Call, que trocou um rápido olhar com Aaron, ajoelhado ao seu lado. Havia gravetos presos no cabelo louro de Aaron, mas ele não parecia ferido. Por enquanto.

Ao menos não ainda.

Mantenha Alex falando, Call pensou. *Mantenha-o falando e não entre em pânico e não deixe que machuque Aaron.*

— E Tamara? — perguntou Call. — Você a machucou? Ela está aqui?

Isso fez Alex rir ainda mais.

— Você é realmente um idiota, sabia? Não faço ideia de onde Tamara esteja. Não me dei ao trabalho de sequestrá-la. Por que fazer isso se eu podia apenas mentir pra vocês, e vocês caírem na minha mentira? Ela e o seu lobo idiota devem estar dormindo. Acho que vão ficar bem tristes quando acordarem e descobrirem o que aconteceu com vocês.

— O Mestre Joseph sabe que você pegou o Alkahest? — perguntou Aaron. — Foi ele que te mandou fazer isso?

Alex jogou a cabeça para trás, mas dessa vez a risada pareceu forçada.

— Ele não sabe nada sobre o meu plano; eu peguei o Alkahest e deixei uma ilusão no lugar. Não vai durar para sempre, mas o suficiente. Desde que ele começou a me ensinar, eu o ouço falar de você. Sobre como o glorioso Constantine estava voltando, e sobre como tínhamos que nos preparar. O incrível Constantine Madden, tão importante que Drew teve que se infiltrar no Magisterium e fingir que nem me conhecia. E aí surge *você*. Que decepção.

— Sinto muito em ouvir isso — respondeu Call com acidez.

— Então por que quis matá-lo? Vingança? — perguntou Aaron. Call ficou feliz por ele estar seguindo a linha de *mantê-lo falando*, porque Call estava tão atordoado que não estava sendo fácil. — Isso não irritaria o Mestre Joseph?

— Ele só precisa de um Makar — disse Alex, erguendo o Alkahest. — E agora eu descobri como me tornar um. Eu reconfigurei o Alkahest. Ele não vai apenas arrancar a magia do caos de você. Também vai canalizar essa habilidade em mim.

— Isso não é possível! — disse Call, mas ele se lembrava de como o poder tinha vindo a ele quando o corpo de Constantine Madden foi devorado pelo Alkahest. Talvez fosse possível sim.

— Diz o menino que está morto há catorze anos — disse Alex. — Você pensa nele, em algum momento? Pobre Callum Hunt, morto antes mesmo de dizer a primeira palavra. Assassinado por você, Constantine, do mesmo jeito que matou o mais próximo que já tive de um irmão. Assim como matou o seu próprio irmão. Você nunca deveria ter tido esse poder. E agora vou tirá-lo de você e serei um Inimigo da Morte melhor do que você jamais poderia ter sido.

— Tudo bem — disse Call. — Mas não machuque Aaron.

Aaron emitiu um ruído sufocado. Alex revirou os olhos.

— Isso mesmo, Aaron, seu precioso contrapeso. Foi por isso que jogou tudo fora, Call? Seus *amigos*?

— Joguei o que fora? — perguntou Call, entrando em pânico. Ele tinha que acreditar que alguém do Magisterium viria. Que alguém iria encontrá-los. Alex estava alucinado, fora de si. — Ser Constantine? Eu nunca quis isso.

— Você não deveria machucar Call — disse Aaron. — Deveria arrancar a mágica de mim.

— Toda essa nobreza é muito nauseante — disse Alex, sua pulseira de ouro brilhando quando ele puxou um fio de seu cabelo castanho para trás. Ele parecia espectral ao luar. Como um espírito do mal. — Mas se isso faz com que se sintam melhor, era esse o meu plano. Matar Call, fazer tudo parecer um acidente e depois pegar sua habilidade de Makar, matando Aaron no processo. Mas agora que os dois estão aqui, na minha frente, está difícil escolher.

— O Mestre Joseph vai matar você se fizer mal a Call — argumentou Aaron. — Ele pulou na frente de Call para protegê-lo no túmulo do Inimigo, sabia? Ele teria sacrificado a própria vida por ele!

— Ele sempre achou que Call fosse ceder e querer se unir a ele — disse Alex. — Você quer combater a morte, mas a verdade é que é covarde demais, Call. Alguém que não quer esse poder não deve possuí-lo. Na verdade, estou fazendo um favor ao Mestre Joseph.

Ele foi em direção a Call. Aaron começou a lutar para se levantar, mas foi empurrado novamente para baixo. Fogo preto começou a crescer em suas mãos.

— Fique longe de Call!

MAGISTERIUM – A CHAVE DE BRONZE

Alex girou para cima dele com o Alkahest.

— Não entende? — disse ele com desdém. — Se fizer alguma coisa contra mim, eu mato você e depois mato Call de qualquer jeito. E ainda faço isso lentamente.

Aaron cerrou as mãos em punhos. Call sentiu o corpo todo se contrair enquanto se preparava para pular e tentar correr...

— Pare! — Uma voz soou pela clareira. Era Tamara, com Devastação logo atrás. As orelhas do lobo estavam bem rente à cabeça e ele rosnava. Tamara estava com a mão esticada, e fogo vermelho ardia em sua palma. — Você não pode me ferir com isso, Alex — disse ela. — Não sou Makar.

— Tamara! — gritou Call. — Como você nos achou?

— Devastação — respondeu ela. — Estávamos na sala, e de repente ele começou a rosnar e a se jogar na porta, apesar de eu já ter passeado com ele. Eu abri a porta e ele me trouxe até aqui. — Ela olhou fixamente para Alex. — E ele vai arrancar a garganta de qualquer um que chegar perto de mim, então nem pense nisso — Tamara avançou em direção a eles, e os capangas deram um passo para trás. O fogo ardeu com mais intensidade. Call ficou imaginando quem seriam os encapuzados. Devotos do Mestre Joseph? Pessoas normais que não tinham nada a ver com magia, mas tinham sido enfeitiçadas? Ele tinha que admitir que, considerando o plano louco de Alex, seus capangas e sua ostentação, ele estava acumulando muitos pontos de Suserano do Mal.

Call tentou se levantar, mas estava bem preso. Dava para ver Aaron lutando ao lado.

— Ah, ótimo — disse Alex. — Plateia.

Tamara pareceu furiosa. Call torceu para ver os magos do Magisterium vindo atrás dela, mas não havia ninguém. Isso era culpa

257

dele, ele sabia. Por três anos, Tamara e Aaron vinham guardando segredos, escondendo coisas importantes de todos, inclusive do Mestre Rufus. Eles não pediam ajuda de ninguém, mesmo quando precisavam.

Alex colocou o Alkahest na altura deles e esticou o braço.

— Talvez o Alkahest deva escolher. Talvez eu o envie na direção dos dois para ver o que acontece. Talvez ele puxe a magia de *ambos*. O que acham?

Call esticou o braço e pegou a mão de Aaron, que pareceu surpresou por um segundo. Depois fechou a mão na de Call.

Call queria dizer ao seu melhor amigo o quanto lamentava, que era tudo culpa dele por ser Constantine Madden. Mas Aaron falou antes que ele tivesse a chance.

— Pelo menos vamos morrer juntos — disse Aaron. Depois, inacreditavelmente, sorriu para Call.

Não vamos, Call queria dizer. *Vamos sobreviver*. Mas ao começar a falar, um flash de luz os cegou. Tamara tinha lançado um raio de fogo. Alex desviou, esticando a mão e jogando magia do ar para redirecionar a chama, que voou na direção de Call.

O homem que segurava Call cambaleou para trás e ele afrouxou a pegada. A camisa do capanga agora estava pegando fogo e ele gritava. Call se levantou, ignorando a dor na perna. Ainda segurando a mão de Aaron, ele o puxou para cima também. Tudo parecia acontecer ao mesmo tempo.

— Devastação, *vá*! — gritou Tamara.

Devastação virou um borrão escuro no ar, correndo em direção a Alex. Aaron soltou a mão de Call, e um caos escuro brotou de sua palma. Alex ergueu o braço, o Alkahest brilhando de energia. Aaron lançou a mão para a frente, mas a luz escura que evocou foi parar longe, derrubando uma das figuras encapuzadas, mas errando Alex. A mão de garra do Alkahest se abriu e uma chama acobreada de luz voou de seus dedos.

O tempo pareceu parar. Aquela luz era tudo que o caos não era. Era brilhante e ardente, fria como a ponta de uma faca. Call não teve a menor dúvida de que quando o atingisse, o mataria.

Ele fechou os olhos.

Alguma coisa o empurrou por trás. Ele caiu esparramado, rolando pela grama. O raio de luz o errou por poucos centímetros. Sentiu algo queimar sua bochecha ao cambalear para a frente e depois, rolando de lado, levantou a cabeça e viu o poder atingindo Aaron no peito.

A força do impacto levantou Aaron do chão e o arremessou longe. Ele caiu na grama a vários metros de distância, com os olhos arregalados e vítreos, olhando para o céu.

— Não — disse alguém. — Aaron, não, não, *não*! — Call pensou ter sido a própria voz por um segundo, mas era a de Tamara. Ela estava jogada na grama ao lado dele.

Foi ela que o atingiu. Ela o tirou da rota do Alkahest. Ela salvou a sua vida.

Mas não a de Aaron.

Call tocou a própria bochecha. Estava ardendo. Talvez o Alkahest só tivesse queimado Aaron também. Ele tentou se levantar para ir até o amigo, mas suas pernas não o obedeceram. Em vez disso, ele foi até Aaron usando todos os seus sentidos.

Ele se lembrou do que tinha experimentado antes ao tocar a alma de Aaron. A sensação de vida, de alguma coisa existindo no mundo, vívida e sólida.

Mas não havia nada ali agora. Seu corpo era uma casca. Sua alma tinha ido embora, deixando apenas sombras brilhantes do que Aaron tinha sido.

Call virou para Alex, que tinha tirado o Alkahest do braço. É óbvio — agora poderia machucá-lo também. Agora ele estava com o poder de Aaron. Parecia pulsar, como uma estrela prestes a explodir. Sua pele brilhava e ondulava com listras de luz e escuridão.

— *Poder.* — Alex engasgou. Ele ergueu a mão, escuridão se contorcendo como fumaça. — Posso sentir. O poder do caos, correndo por mim...

— Não se eu puder evitar — disse Call, esticando a mão. Um raio de luz preta voou de sua palma em direção a Alex. Ele tinha certeza de que o mataria, o enviaria gritando para o vazio.

Ficou feliz.

A flecha de magia voou em direção a Alex, mas a mão do garoto subiu e capturou a energia. Ficou olhando pensativo por um segundo, e Call também encarou, com uma sensação ruim na barriga. Alex era um Makar agora. Podia controlar e manipular o caos. E era mais velho e mais experiente do que Call.

E então Alex gritou. Do nada, Devastação tinha aparecido da escuridão e enterrado os dentes em sua perna.

Alex atacou com caos, mas Devastação foi rápido e desviou, ainda rosnando. Ele atacou de novo, e desta vez Alex não teve chance de reagir: Devastação o derrubou no chão, seus dentes rasgando a camisa.

— Tire esse bicho de cima de mim! — gritou Alex. — Tire ele de cima de mim!

Várias das figuras encapuzadas correram; Devastação soltou Alex, que se levantou cambaleando, sangrando em diversos pontos. Sua pele continuava ondulando, o rosto se contorcendo. Call se lembrou de como tinha sido para ele no túmulo, quando a magia do caos se manifestou. E como se sentiu sem controle, enjoado.

Alex esticou uma das mãos sobre Devastação, mas desta vez a mágica que explodiu deu errado. A escuridão derramou-se por todas as direções. Caiu em linhas que se ergueram pelo ar e nuvens que se elevaram ao céu. Onde ela tocava as coisas começavam a se desfazer. Uma das casas da Ordem da Desordem sucumbiu quando o caos devorou seus alicerces. Três árvores foram inteiramente devoradas. O próprio chão ficou esburacado quando pedaços foram engolidos pelo vazio. Duas das figuras mascaradas gritaram ao serem tragadas antes de o caos dissipar.

Alex olhou para as próprias mãos, horrorizado, mas ao mesmo tempo, nitidamente impressionado também.

— Pegue o Alkahest! — disse em voz rouca para um de seus capangas que ainda restavam. — Temos que sair daqui! — ele olhou para Call por um instante, depois curvou os lábios.

— Cuido de você mais tarde — disse Alex, e então correu da clareira com os capangas atrás dele.

Call mal se importou. Ele virou novamente para ver Tamara ainda agachada sobre o corpo imóvel de Aaron. Quase curvada ao meio, Tamara chorava, o corpo todo tremendo. Devastação foi para perto dela, afocinhando-a no ombro.

Call nem sentiu seus pés se mexerem, mas tinha chegado perto de Aaron, estava ali abaixado ao lado do amigo, diante de Tamara. Ele tocou a mão de Aaron, a mão que tinha agarrado há poucos instantes. Estava fria.

Tamara ainda chorava suavemente. Ela tinha derrubado Call para fora do caminho do Alkahest. Tinha salvado sua vida.

— Por que você fez isso? — perguntou de repente. — Como pôde fazer isso? Aaron é que deveria viver. Não eu. Eu sou o Inimigo da Morte. Não sou bom. Aaron era.

Ela olhou para ele por um longo instante.

— Eu sei — disse ela, com lágrimas nos olhos. — Mas, Call...

Um grito veio de cima do que restava da vila.

— Ali! — Alguém gritou. Entre as árvores, Call pôde ver esferas voadoras. Os magos tinham ido procurá-los, afinal, assim como procuraram por Drew naquela noite. E chegaram tarde demais, mais uma vez. Sempre tarde demais.

Mestre North, Mestre Rufus, Alma e vários outros Mestres correram para a clareira. North e os outros olhavam boquiabertos para o cenário de destruição, os pedaços de terra que simplesmente desapareceram, as casas sucumbidas e as árvores destruídas. Mas Rufus... Rufus olhava para Aaron. Empurrando os outros de lado, ele correu para o corpo caído, apoiando-se sobre um joelho para sentir o pulso de Aaron.

Call sabia que não sentiria nada. Não havia mais Aaron. Não havia contrapeso da sua própria alma. Só essa sensação de vazio, a sensação de que algo tinha sido arrancado dele e que jamais poderia ser reposto.

Ele agora entendia que Constantine Madden tivesse desejado acabar com o mundo depois que seu irmão morreu.

Rufus fechou os olhos. Seus ombros despencaram. Call achou o mestre muito velho naquele momento. Velho e destruído.

— O que aconteceu aqui? — perguntou Mestre North. — Parece que houve alguma espécie de batalha. — Ele franziu o rosto para Call. — O que você fez?

MAGISTERIUM – A CHAVE DE BRONZE

Fúria explodiu na cabeça de Call.

— Não fui eu! — gritou ele. — Foram Alex Strike e os... os capangas dele! Ele está com o Alkahest e matou Aaron. E vocês estão permitindo que ele escape! Vocês não deveriam ser nossos professores? Não deixem que ele fuja!

— Não! — disse Alma, marchando em direção a Call, com os olhos brilhando. Ela apontou um dedo comprido para ele. — Eu não vi antes, mas agora o vejo, Constantine. Foi você quem matou Aaron. Você armou isso tudo para esconder seus crimes, inclusive o assassinato de Jennifer.

Os olhos de Call se arregalaram. Ela não podia estar dizendo o que parecia estar dizendo. Ele nem sabia como responder. Não podia, não com o corpo de Aaron ao seu lado.

— Fique quieta — disse Mestre Rufus a Alma. — É óbvio que houve uma batalha, mas não temos motivos para pensar que Call está mentindo. E mesmo que estivesse, Tamara estava aqui como testemunha.

— Call está falando a verdade — acrescentou Tamara. — Foi Alex Strike. Deve ter sido ele o tempo todo.

Alma balançou a cabeça.

— Não acredite em nenhum deles! Nunca pensou em como Callum controla aquele animal Dominado pelo Caos ao seu lado? Ou em como derrotou o próprio Inimigo da Morte? Ou em por que ele não era um Makar no ano passado quando o ano começou, mas se tornou um exatamente depois que Constantine supostamente morreu? Agora temos a resposta. Constantine colocou a própria alma em Callum Hunt. Você está olhando para o monstro em forma de criança. Eu o vi inserir o caos em uma alma e criar um Dominado pelo Caos. Sei o que ele é!

Ela está descontrolada, pensou Call. Ninguém acreditaria nela. Mas ninguém a contradisse, também.

— Não se preocupe, Callum — disse Mestre North, mas havia algo de estranho em sua voz. Um tom de adulação. — Vamos investigar isso. Venha comigo.

— Não posso abandonar Aaron — disse Call a ele.

— Vamos todos voltar para o Magisterium — disse o Mestre North.

— Não! — gritou Call. Ele estava cansado de mentir, cansado de tudo isso. — Vocês têm que ir atrás de Alex! Precisam encontrá-lo! Eu admito, tudo bem? Tudo que Alma está falando é verdade, exceto a parte em que matei Aaron. Não matei! Sim, eu sou o Inimigo da Morte, mas juro que não matei Aaron. Foi Alex. Juro que eu jamais machucaria...

Foi a última coisa que Call disse antes de ser acorrentado.

CAPÍTULO DEZESSEIS

A cela de Call no Panopticon tinha três paredes brancas e uma que era inteiramente transparente, de modo que ele podia ser visto o tempo todo pelos guardas na torre que ficava no centro do presídio. Nenhuma das paredes parecia ser afetada por magia, então independente de quantas vezes ele tentasse queimá-las ou devorá-las, fissurá-las ou congelá-las, nada funcionava. Duas vezes por dia uma caixa branca era empurrada através de uma placa na janela clara. Dentro dela havia água e comida quase sem gosto.

Fora isso, nada mudava.

Não tinham dado a ele livros, nem papéis, ou canetas, nem nada para fazer, então Call passava os dias sentado no colchão, detestando todo mundo e principalmente a si mesmo.

Estava preso havia uma semana. Uma semana revivendo mentalmente aquela batalha final na clareira, imaginando como poderia ter sido diferente, imaginando Aaron vivo — e às vezes, no auge da autopiedade, até se imaginava morto. Às vezes ele acordava de sonhos onde Aaron falava com ele, brincando sobre ir até a Galeria, ou se oferecendo para passear com Devastação. Às vezes ele acordava de sonhos onde Aaron gritava com ele, dizendo que era ele quem deveria ter morrido.

Call quer viver.

Call pensou sem parar no seu acréscimo ao poema. Sua característica definitiva: uma vontade de sobreviver. Era isso que ele pensava. Mas Call não queria ser a pessoa que estava viva porque seu melhor amigo morreu. Ele não sabia se queria viver em um mundo onde Aaron não existia.

Ele queria Aaron de volta. Esse desejo como um rugido em sua alma, a tristeza de uma perda horrível. A constatação do que Constantine devia ter sentido quando perdeu Jericho.

Call não queria entender como Constantine havia se sentido. Talvez fosse melhor ele estar preso, onde não poderia machucar mais ninguém, onde pelo menos estava sendo punido por alguns de seus crimes. Talvez fosse melhor que ninguém viesse vê-lo, nem mesmo seu próprio pai. E certamente Tamara também não. Ela provavelmente não estava conseguindo lidar com a culpa de ter feito a escolha errada. E nem Mestre Rufus, que provavelmente desejava que Call nunca tivesse ido ao Julgamento de Ferro.

Como alguém poderia ser azarado o suficiente para escolher o Inimigo da Morte como seu aprendiz, não uma, mas *duas* vezes?

↑≈△○◎

Call estava deitado no chão, olhando para o teto, quando o som de passos em um horário não usual o fez virar a cabeça. Do lado de fora da cela, com um longo casaco branco, o cabelo sob um chapéu branco, estava Anastasia Tarquin.

Ela olhou para ele e ergueu as duas sobrancelhas em um gesto que lembrava o Mestre Rufus. Dizia: *estou achando graça agora, mas não acharei por muito tempo.*

Call não se importou. Continuou no chão. Uma guarda — uma mulher que empurrava a bandeja de Call com um vigor desnecessário — trouxe uma cadeira para a integrante da Assembleia. Anastasia sentou e a guarda saiu. Call tinha imaginado que eventualmente alguém da Assembleia viria colher alguma espécie de depoimento ou interrogá-lo. Provavelmente deveria estar feliz por ser Anastasia, mas não estava. Não queria falar com ela. Não queria falar com ninguém, e alguém que conhecia era pior do que um estranho.

— Chegue mais perto — disse Anastasia, cruzando as mãos no colo.

Com um suspiro, Call foi até a janela e sentou.

— Tudo bem, mas você vai precisar responder duas perguntas.

— Muito bem — disse ela. — Quais são?

Call hesitou, porque apesar de estar obcecado por essas duas coisas, nas horas mais longas da noite ele não sabia o que faria com as respostas.

— Tamara está bem? — Call conseguiu perguntar, a voz saindo engasgada. — Ela se encrencou muito?

Anastasia deu um sorriso discreto.

— Tamara está segura. Sobre o grau de encrenca, ainda não se sabe. Satisfeito?

— Não — respondeu Call. — Devastação? Ele está bem? Eles o machucaram?

O sorriso de Anastasia não falhou.

— Seu lobo está com os Rajavi, perfeitamente seguro. Pronto?

— Suponho que sim — respondeu Call. Saber que Tamara estava bem e que Devastação estava vivo foi o primeiro alívio que sentiu em muito tempo.

— Ótimo — disse Anastasia. — Não temos muito tempo. Tem algo que preciso te falar. Meu nome não é Anastasia Tarquin.

Call piscou os olhos.

— Quê?

— Há muito tempo eu tive dois filhos que foram para o Magisterium — disse ela. — Não somos uma família de renome. Admito que eu não me sentia confortável com a minha própria mágica e me interessei pouco pelos estudos deles. Não conheci nenhum dos professores, não fui a nenhuma reunião, deixava meu marido cuidar de tudo. Isso se provou um erro fatal. — A mulher respirou fundo. — Quando falei que conhecia Constantine e Jericho Madden, e que tinha uma dívida com eles, eu estava contando apenas parte da verdade. Veja bem, *eu sou a mãe deles*, o que significa que também sou sua mãe, de todas as maneiras relevantes.

O que quer que Call estivesse imaginando ouvir, não era isso. Ele a encarou.

— Mas... mas como? O Magisterium... eles saberiam...

— Não tinha como saberem — disse Anastasia. — Isso tudo foi há muito tempo, e, como eu disse, eu mal conheci os magos. Mas quando meus dois filhos... morreram... o Mestre Joseph entrou em contato comigo. Meu marido, o seu pai, já tinha se matado a essa altura. — Sua voz não tinha emoção. — Joseph me contou o que Constantine tinha feito. Como transferiu a alma. Eu estava determinada a ser presente para o meu filho em seu novo corpo

MAGISTERIUM – A CHAVE DE BRONZE

como não tinha sido antes. Deixei o país e voltei para minha terra natal. Lá, roubei identidade de uma mulher que tinha mais ou menos a minha idade: Anastasia Tarquin. Alterei minha aparência. Pratiquei minha magia com devoção. Depois, retornando como uma poderosa feiticeira do exterior, me casei com Augustus Strike para obter um assento no Conselho. Ninguém adivinhou quem eu era, ou qual era o meu verdadeiro objetivo.

— Seu verdadeiro objetivo? — A mente de Call estava girando.

— Você — disse ela. — Por isso fui para a escola. Por isso ingressei na Assembleia. Foi tudo por você. E isso não mudou — Anastasia se levantou, colocando a mão na janela que não era de vidro, como se tudo que quisesse fosse atravessá-la e tocar a mão de Call. Seus olhos eram tristes, porém cheios de determinação. — Desta vez vou salvá-lo, meu filho. Desta vez vou libertá-lo.

Este livro foi composto na tipologia Chaparral Pro,
em corpo 12,5/18,9, e impresso na Gráfica Leograf.